Mélusine et Philémon

L'Anneau du Diable

Catalogage avant publication de Bibliothèque et Archives nationales du Québec et Bibliothèque et Archives Canada

De Vailly, Corinne

Mélusine et Philémon
Sommaire : t. 1. L'anneau du diable – t. 2. L'Ordre de l'épée.

ISBN 978-2-89647-859-0 (v. 1)
ISBN 978-2-89647-861-3 (v. 2)

I. Titre. II. Titre : L'anneau du diable. III. Titre : L'Ordre de l'épée.

PS8593.A526M44 2012 C843'.54 C2012-940420-9
PS9593.A526M44 2012

Les Éditions Hurtubise bénéficient du soutien financier des institutions suivantes pour leurs activités d'édition :

- Conseil des Arts du Canada ;
- Gouvernement du Canada par l'entremise du Fonds du livre du Canada (FLC) ;
- Société de développement des entreprises culturelles du Québec (SODEC) ;
- Gouvernement du Québec par l'entremise du programme de crédit d'impôt pour l'édition de livres.

Illustration de la couverture : Magali Villeneuve
Graphisme : René St-Amand
Mise en pages : Martel en-tête

ISBN 978-2-89647-859-0 (version imprimée)
ISBN 978-2-89647-860-6 (version numérique pdf)

Dépôt légal/3e trimestre 2012

Bibliothèque et Archives nationales du Québec
Bibliothèque et Archives Canada

Diffusion-distribution au Canada :
Distribution HMH
1815, avenue De Lorimier
Montréal (Québec) H2K 3W6
www.distributionhmh.com

Diffusion-distribution en Europe :
Librairie du Québec/DNM
30, rue Gay-Lussac
75005 Paris FRANCE
www.librairieduquebec.fr

Imprimé au Canada

www.editionshurtubise.com

CORINNE
DE VAILLY

MÉLUSINE ET PHILÉMON

L'Anneau du Diable

tome 1

Hurtubise

De la même auteure

Jeunesse

Série *Emrys*, 6 tomes, Montréal, Les Intouchables, 2010-2012.
Série *Celtina*, 12 tomes, Montréal, Les Intouchables, 2006-2010.
Série *Phoenix, détective du Temps*, 3 tomes, Montréal, Trécarré, 2006-2009.
À l'abordage, marins d'eau douce, Saint-Bruno-de-Montarville, Goélette, « L'envers des mots », 2011.
Morgan, le chevalier sans peur, Saint-Bruno-de-Montarville, Goélette, « L'envers des mots », 2011.
Morgan et les hommes des cavernes, Saint-Bruno-de-Montarville, Goélette, « L'envers des mots », 2011.
Morgan et les fantômes du Forum, Saint-Bruno-de-Montarville, Goélette, « L'envers des mots », 2012.
Mon premier livre de contes du Québec, Saint-Bruno-de-Montarville, Goélette, 2009.
Mon premier livre de contes du Canada, Saint-Bruno-de-Montarville, Goélette, 2010.
Mon premier livre de contes des 5 continents, Saint-Bruno-de-Montarville, Goélette, 2011.
Mon premier livre de contes de Noël, Saint-Bruno-de-Montarville, Goélette, 2012.
L'amour à mort, Boucherville, éditions de Mortagne, 2010.
Le concours Top-Model, Montréal, Trécarré, « Collection Intime », 2005.
La falaise aux trésors (épuisé), Montréal, 1996.
Une étrange disparition (épuisé), Montréal, 1996.
Miss Catastrophe (épuisé), Montréal, 1993.

Adultes

Chimères (avec Normand Lester), Montréal, Libre-Expression, 2002.
Verglas (avec Normand Lester), Montréal, Libre-Expression, 2006.

Biographie

Quand je serai grand, je serai guéri ! (avec Pierre Bruneau), Montréal, Publistar, 2004.

À ma mère et ma sœur, mes premières lectrices

Jérusalem au XIIe siècle

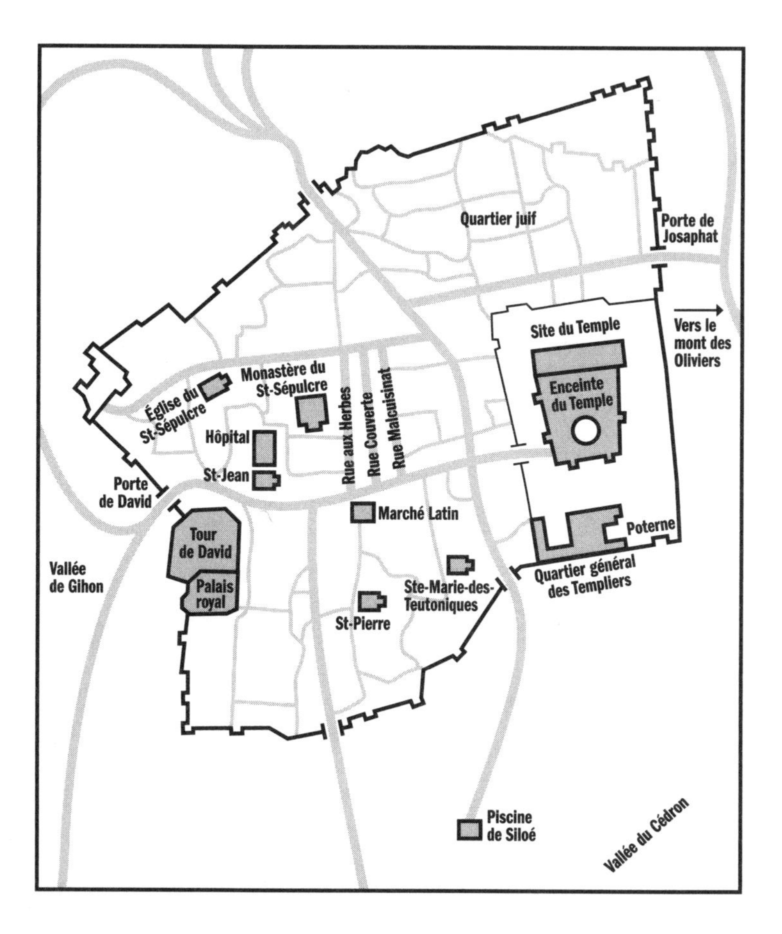

Personnages

Personnages historiques

Agnès de Courtenay : Première épouse d'Amaury, mère de Sibylle et de Baudouin de Jérusalem.

Aliénor d'Aquitaine : Ancienne reine de France (mariée à Louis VII), puis reine d'Angleterre (mariée à Henri II).

Amauri de Lusignan : Chambellan de Jérusalem, frère aîné de Gui de Lusignan.

Amaury de Jérusalem : Roi de Jérusalem, père de Sibylle, de Baudouin et d'Isabelle de Jérusalem.

Baudouin de Jérusalem : Frère de Sibylle, fils d'Amaury et d'Agnès, roi lépreux.

Étiennette de Milly : Épouse de Milon de Plancy.

Eudes de Saint-Amand : Grand maître des Templiers.

Frédéric de Hohenstaufen : Surnommé Frédéric Barberousse, empereur romain germanique, roi d'Allemagne et d'Italie.

Gui de Lusignan : Frère cadet d'Amauri de Lusignan.

Guillaume de Montferrat dit Guillaume Longue-Épée : Futur époux de Sibylle.

Guillaume de Tyr : Précepteur de Baudouin, chancelier de Jérusalem.

Heribrand de Saussure : Ancien seigneur de Hierges.

Henri le deuxième : Roi d'Angleterre.

Hugues dit le Diable : Sire de Lusignan, ancêtre d'Amauri et de Gui de Lusignan.

Isabelle de Jérusalem : Fille d'Amaury de Jérusalem et de Marie Comnène, demi-sœur de Sibylle et de Baudouin de Jérusalem.

Ivète de Jérusalem : Grand-tante de Sibylle, supérieure de l'abbaye Saint-Lazare de Béthanie.

Josselin de Courtenay : Oncle de Baudouin et de Sibylle, défenseur d'Acre.

Joubert de Syrie : Grand maître des Hospitaliers.

Louis le septième : Roi de France.

Manassès de Hierges : Cousin de Mélisende de Jérusalem.

Marie Comnène : Seconde épouse d'Amaury de Jérusalem, mère d'Isabelle de Jérusalem.

Mélisende de Jérusalem : Grand-mère paternelle de Sibylle, de Baudouin et d'Isabelle de Jérusalem.

Milon de Plancy : Seigneur de Montréal et d'Outre-Jourdain, sénéchal du royaume, cousin d'Amaury de Jérusalem, premier régent du royaume de Jérusalem.

Onfroy de Toron : Seigneur d'Hébron, connétable de Jérusalem.

Raimond de Tripoli : Comte de Tripoli, prince de Galilée et de Tibériade, second régent du royaume de Jérusalem.

Saladin : Al-Malik an-Nâsir Salâh ad-Dîn Yûsuf, dirigeant de l'Égypte de 1169 à 1250, principal adversaire des Francs au XIIe siècle et artisan de la reconquête de Jérusalem par les musulmans en 1187.

Sibylle de Jérusalem : Fille aînée d'Amaury de Jérusalem et d'Agnès de Courtenay, sœur de Baudouin de Jérusalem et demi-sœur d'Isabelle de Jérusalem.

PERSONNAGES ISSUS DE LA LÉGENDE DE MÉLUSINE

Aymeri de Poitiers : Oncle de Raimondin, père de Bertrand et de Blanche.

Bertrand de Poitiers : Cousin de Raimondin, frère de Blanche.

Blanche de Poitiers : Cousine de Raimondin, sœur de Bertrand.

Élinas d'Albanie : Père de Mélusine.

Geoffroy Grande-Dent : Sixième fils de Mélusine.

Hugues de Forez : Frère aîné de Raimondin de Lusignan.

Mélior : Fée, sœur de Mélusine.

Mélusine : Fée, mère de dix garçons, famille de Lusignan.

Palatine : Fée, sœur de Mélusine.

Pressine : Fée, mère de Mélusine.

Raimondin de Lusignan : Époux de Mélusine.

Raimonet de Lusignan : Dixième fils de Mélusine.

Thierry de Lusignan : Neuvième fils de Mélusine.

Personnages inventés

Arnulf : Mercenaire teuton.

Audin : Prieur de la commanderie hospitalière de Marseille.

Drogon de Courteville : Ambassadeur de Jérusalem à Montferrat.

Frère Hildebert : Moine de l'hospice Sainte-Marie-des-Teutoniques.

Frère Ondaric : Moine de l'hospice Saint-Jean de Jérusalem.

Galiotte d'Irfoy : Tante de Philémon, dame de compagnie d'Agnès de Courtenay.

Gauvin : Beau-père de Philémon, frère de Géraud, maître arbalétrier.

Géraud : Chevalier de l'ordre des Hospitaliers de Saint-Jean de Jérusalem, oncle de Philémon.

Grégoire d'Irfoy : Écuyer, puis chevalier, cousin de Philémon.

Helvis d'Irfoy : Mère de Philémon.

Philémon de Hierges : Page, fils naturel de Manassès de Hierges et de Helvis d'Irfoy.

Rosemonde : Femme de chambre et amie de Sibylle de Jérusalem.

1

Royaume latin de Jérusalem, août 1174

La chaleur de juillet était suffocante. Aucun souffle d'air n'apportait un peu de réconfort aux deux moines et à leur serviteur qui cheminaient péniblement dans les collines désertiques. Leurs pas, lourds, soulevaient de fines particules de sable qui irritaient un peu plus leurs bouches que l'air sec rendait râpeuses ; leurs yeux larmoyaient au soleil trop vif, et le vent, qui les avait surpris une heure plus tôt, emplissait encore leurs oreilles d'un bourdonnement agressant. Les chevaux qui auraient dû leur faire parcourir rapidement la demi-lieue séparant Jérusalem de la ville de Béthanie étaient subitement tombés raides morts. Tous les trois à quelques secondes d'intervalle. Les voyageurs s'étaient signés avec fébrilité. Il y avait sûrement quelque diablerie là-dessous. Pendant de longues minutes, les trois compagnons étaient restés prostrés devant les dépouilles de leurs montures, ne sachant que dire ni que faire. Puis Ondaric, le plus âgé des religieux, avait repris ses esprits, refusant catégoriquement de faire demi-tour.

— Notre mission ne peut souffrir aucun retard, avait-il décrété, en s'élançant à pied sur la route fouettée par un vent furieux, comme seul le désert peut en produire.

— Mais... tenta le moinillon d'une quinzaine d'années, nous ne sommes qu'à un quart de lieue de Jérusalem. Nous pouvons retourner sur nos pas et faire seller de nouvelles montures. Ce sera plus rapide que de faire la route à pied par ce vent fou.

— Tu ne comprends pas que nos ennemis nous empêcheront de reprendre la route ! répondit sèchement Ondaric. Nous avons quitté Jérusalem en catimini, que penses-tu qu'il va se produire si nous y retournons ? Nous serons jetés dans un cul-de-basse-fosse sans autre forme de procès, et c'en sera fini de notre mission.

— Alors, envoyons Philémon. Notre serviteur nous rapportera des chevaux et nous pourrons poursuivre notre voyage avec moins d'efforts, répondit le jeune moine.

Philémon de Hierges, jeune valet aux boucles brunes d'environ onze ans, haussa les sourcils à cette proposition. Rentrer seul à Jérusalem ne l'enchantait guère, mais s'il le fallait, on ne lui laisserait pas voix au chapitre.

Le « non ! » d'Ondaric claqua comme un coup de fouet et fit sursauter l'enfant. Pour sa part, le moineton grommela entre ses dents, sous lesquelles il sentait crisser des grains de sable. En son for intérieur, il savait que son aîné avait raison. Ils avaient été favorisés par le sort en quittant la Ville sainte aux premières lueurs de l'aube sans se faire remarquer. Y rentrer serait pure folie. Jamais leurs ennemis ne leur permettraient une seconde sortie. Quant à y renvoyer le jeune serviteur, ce n'était pas une meilleure idée. Tous à Jérusalem connaissaient Philémon de Hierges, tous le savaient au service des moines de l'hospice Saint-Jean, fondé pour venir en aide aux pèlerins pauvres et aux malades. Il suffirait à leurs ennemis de le suivre pour les retrouver très rapidement. Ondaric l'avait assez répété depuis leur départ, la missive qu'ils transportaient ne devait en aucun cas tomber entre de mauvaises mains. Si on les interceptait, le moinillon savait qu'on ne donnerait pas cher de leur peau. Qui s'inquiéterait de deux moines et d'un serviteur avalés par le désert ? Ces choses-là arrivaient plus souvent qu'on ne le pense dans le royaume latin d'Orient. Leur disparition serait mise au compte d'une mauvaise rencontre avec une troupe de Sarrasins et ils seraient vite oubliés.

En soupirant, le novice se hâta de rejoindre ses deux compagnons qui n'avaient pas attendu la fin de sa réflexion pour faire un bout de chemin.

À une demi-lieue de là, une nouvelle journée commençait, égrenant ses heures longues et lentes dans l'abbaye Saint-Lazare de Béthanie. Assise sur une bancelle* de belle facture, près d'une minuscule fenêtre qui donnait sur la cour intérieure de l'abbaye et dont le papier huilé laissait passer une abondante et chaude lumière, une jeune fille blonde, aux joues pleines trahissant encore l'enfance, dissimula prestement quelques feuillets entre les plis de sa robe de nuit lorsqu'un bruit vint déranger sa lecture.

La porte de la chambre s'ouvrit pour livrer passage à une femme de chambre ; la demoiselle esquissa un sourire, et extirpa aussitôt les manuscrits de leur cachette.

— Vous ne devriez pas vous arracher les yeux sur ces œuvres du diable, marmonna la chambrière.

Sans espérer de réponse, puisque chaque jour, elle répétait en vain le même avertissement, la servante s'empressa de traverser la pièce dont le sol était couvert de briques ocre, brunes et noires, disposées en losange. Elle se hissa sur un petit escabeau pour atteindre le lit et replaça le drap de lin et le couvre-lit de brocart sur la paillasse qui conservait encore la chaleur du corps de la jeune fille à peine levée. Mais cette fois, celle-ci, qui avait fêté ses quinze ans quelques semaines plus tôt, releva la tête :

* L'astérisque renvoie au lexique en fin de volume.

— Ma chère Rosemonde, sache que je préfère lire moi-même les lettres que me fait parvenir ma mère. Je ne peux me fier à ce que me raconte la nonne que ma grand-tante Ivète a attachée à mon service.

— Sibylle, songez à ce que dira votre père s'il apprend que vous savez lire. Une jeune fille ne devrait pas se mêler d'écriture... Le savoir est science du diable.

— Cessez ces enfantillages, Rosemonde. Dans notre famille, les femmes lisent, répliqua Sibylle d'un ton ferme.

— Oui, et on voit où cela a conduit votre pauvre mère d'être savante... Elle a été forcée à l'exil dans son comté de Jaffa et d'Ascalon.

— Idiote! se fâcha Sibylle, en claquant sèchement sa brosse sur la table basse près d'elle, au risque d'en fendre le délicat manche de corne ouvragé. Pour devenir roi de Jérusalem, mon père a dû répudier ma mère sous la pression des barons, la noblesse qui forme le conseil du roi. Cela n'a rien à voir avec son esprit et son intelligence.

— La pauvre Agnès de Courtenay a été jugée indigne de devenir leur reine parce qu'elle était trop volage. Moi, je pense surtout qu'elle était trop intrigante. Voilà où l'a conduite son intelligence, baragouina Rosemonde, à voix si basse que Sibylle ne l'entendit pas.

— La Haute Cour a sommé mon père de choisir entre sa femme et le trône, poursuivit la jeune fille, en triturant nerveusement ses parchemins. Ah! les barons ont bien manœuvré. Ils ont réussi à faire annuler leur union en raison de liens de parenté entre eux. Pfff! Comme si ce n'était pas toujours le cas dans les grandes familles, et surtout ici, dans le royaume franc de Jérusalem où nous sommes si peu nombreux. Je te le jure, Rosemonde, un jour je serai reine. Un jour, une femme de la lignée des Courtenay occupera le trône de Jérusalem. Je vengerai ma mère.

En prononçant ces paroles, Sibylle jouait distraitement avec une petite clé retenue par un ruban bleu qu'elle portait en permanence à son cou. Cette clé, sa mère Agnès de Courtenay la lui avait remise quelques années plus tôt, en lui disant qu'elle ouvrait une cassette. Sibylle n'avait pu obtenir aucune explication supplémentaire. Où était ce coffret? Que contenait-il? Le mystère demeurait.

Rosemonde ramassa une longue robe gris perle reposant sur un banc à dosseret qui occupait le mur opposé de la pièce et se dirigea vers sa jeune maîtresse pour l'aider à l'enfiler par-dessus sa robe de lin blanc. Une fois que cela fut fait, la chambrière entreprit de tresser la longue chevelure blonde et remonta les tresses en torsade sur la nuque.

— Ne blasphémez pas, princesse! À la mort de votre père, ce sera à votre frère de ceindre la couronne. Vous souhaitez donc le trépas de notre doux petit prince…

Sibylle ne répondit pas, elle était songeuse et mélancolique. Elle pensait souvent à sa mère dont elle avait été brutalement éloignée quelque douze années plus tôt. Elle s'ennuyait également de son jeune frère,

Baudouin, qu'elle n'avait pas revu depuis près de trois ans. Il venait de fêter son premier anniversaire lorsque ses parents s'étaient séparés. Dès l'âge de neuf ans, son éducation avait été confiée à Guillaume de Tyr, un érudit et un historien. C'est lui qui, le premier, s'était aperçu que l'enfant ne semblait pas ressentir la douleur. Le précepteur avait rapidement découvert que l'héritier de la couronne royale était atteint de la lèpre. Les meilleurs médecins, francs et musulmans, avaient été appelés, mais aucun d'eux n'avait pu le guérir. Depuis, la santé de Baudouin était étroitement surveillée et, bien entendu, faisait l'objet de spéculations parmi les barons.

Contrairement à Sibylle qui avait passé toute son enfance dans cette abbaye, auprès de sa grand-tante Ivète, sœur de sa grand-mère Mélisende, son frère vivait près de leur père à Jérusalem. Elle se surprenait parfois à l'envier, mais aussitôt le souvenir de sa maladie la plongeait dans la plus grande peine. Elle ne souhaitait aucunement la mort de son jeune frère. Si elle n'avait eu qu'un seul vœu à formuler, ç'aurait été de le serrer au plus vite contre son cœur. Pourtant, une petite voix en elle lui murmurait qu'elle occuperait le trône de Jérusalem. Comment cela pourrait-il être possible ? Elle ne s'était pas attardée à la question.

Sibylle était née songeuse. L'isolement avait considérablement augmenté sa sensibilité naturelle, mais avait surtout stimulé une imagination déjà vive. L'inaction dans laquelle elle vivait lui donnait tout le loisir de rêver. Heureusement, la mère abbesse Ivète ne lui avait pas imposé la vie des moniales bénédictines, toutes vêtues de noir, comme une volée de corneilles, pensait souvent la jeune fille.

Une fois par an, pour son anniversaire, elle avait même accès à quelques divertissements et pouvait recevoir la visite de musiciens, de troubadours et de jongleurs. Par leurs chants, leurs pantomimes, leurs pitreries, ils célébraient la gloire, la bravoure et la beauté des chevaliers des croisades. Et Sibylle rêvait.

Rosemonde lui tendit sa tapisserie.

— Pendant que vos doigts seront occupés, votre esprit ne vagabondera pas. Ne laissez pas la tristesse flétrir vos charmants traits.

Les yeux de Sibylle s'embuèrent, tandis qu'ils parcouraient le périmètre de la salle. La jeune fille avait raison de trouver sa chambre triste. L'élégance et le confort n'étaient pas la priorité des nonnes du couvent. En ces temps troublés, on veillait plus à en faire une forteresse qu'un lieu doux et accueillant pour jeunes filles. Certes, cette pièce était vaste, comparée aux cellules des nonnes. Autour d'une immense cheminée, on avait installé quelques peintures religieuses et des tapisseries, ainsi qu'un solide mobilier de chêne. Sibylle connaissait par cœur le moindre détail des tapisseries, certaines importées du royaume de France par quelque dame ayant accompagné son chevalier de mari aux croisades. D'autres étaient issues de l'art fatimide*. Sa préférée était une toile de lin, barrée d'une large bande d'inscriptions coufiques, le plus ancien style de calligraphie arabe conçu à Koufa, en Irak, et de frises ornées de plantes que lui avait fait porter sa mère l'année précédente, pour son anniversaire.

— Vous voilà prête ! fit Rosemonde, en replaçant une mèche rebelle sous la coiffe de Sibylle. Vite, la cloche vient de sonner l'heure de tierce*, votre grand-tante vous attend à la chapelle. Elle est trop bonne, madame Ivète, de ne vous obliger qu'à deux offices par jour, et de surcroît les plus courts des heures de prière.

— Je le sais bien, ma pauvre Rosemonde, si je t'écoutais, je devrais me faire corneille à mon tour... Eh bien, ôte-toi cette idée folle de l'esprit. Jamais je ne serai nonne. Un destin plus grand m'attend.

La princesse et sa chambrière se glissèrent dans le lacis de couloirs de ce monastère qui, de l'extérieur, ressemblait étrangement à une forteresse, avec sa puissante tour destinée à servir de refuge aux religieuses en cas d'attaque des mahométans. Il était entouré de larges fossés, comme un véritable château, de manière à pouvoir soutenir un siège. Il faut dire que hormis la vie des religieuses, ce sanctuaire protégeait un immense trésor. En effet, sa fondatrice, la reine Mélisende de Jérusalem, la grand-mère paternelle de Sibylle, avait doté l'abbaye de vases sacrés en or, de soieries, de tapisseries de valeur, de meubles richement sculptés et ornés. Autour de la forteresse, d'immenses champs d'oliviers permettaient quelques moments d'évasion à la jeune fille. Elle aimait surtout laisser son regard errer sur les collines désertiques et la route menant à Jérusalem, priant secrètement pour qu'un jour ou l'autre, un beau chevalier vienne la délivrer de cette abbaye où elle n'était pas malheureuse, certes, mais pas très heureuse non plus.

Sibylle entra dans la chapelle, escortée de Rosemonde. Elles se dirigèrent à leur place, mais, comme chaque fois en foulant le sol de mosaïque fine, Sibylle marqua une pause. Elle était irrésistiblement attirée par un immense cercle où était représentée la fée Mélusine avec sa queue de serpent, sortant du bain. Chaque fois, elle se demandait pourquoi sa grand-mère avait fait installer cette mosaïque au cœur de la chapelle ? Même Ivète, la supérieure de l'abbaye, n'avait pu la renseigner sur cette étrangeté.

M

La prière s'achevait à peine qu'un subit brouhaha anima les discussions des bénédictines. La sœur portière, véritable cerbère du cloître, venait d'annoncer des visiteurs. Deux moines et leur serviteur furent introduits, presque en cachette, dans le parloir où la sœur supérieure les rejoignit sur-le-champ. Sibylle n'avait jamais vu sa parente si empressée d'accueillir des visiteurs. Son imagination s'emballa.

2

« Qui peuvent bien être ces visiteurs ? » se demanda Sibylle, en reprenant en sens inverse le labyrinthe de couloirs qui menait à sa chambre.

Soudain, elle pila net et suggéra, gaie comme un pinson :

— Viens, Rosemonde, faisons un petit détour par le parloir.

— Il n'en est pas question, princesse ! répondit la chambrière, qui lui agrippa fermement le bras. La curiosité est un péché.

— Oh, toi et tes religiosités !... Ne me dis pas que cette visite te laisse indifférente. Je suis sûre que tu brûles autant que moi de savoir qui sont ces voyageurs. Nous avons si peu de visites, si peu de distractions dans cette sinistre abbaye.

— Sinistre abbaye ! releva la servante. Hier encore, vous disiez que votre grand-mère avait veillé à faire de ce lieu un havre de paix et de beauté... et maintenant, vous le trouvez sinistre. Je vous trouve bien inconstante...

— Pfff! Tu es trop vieille pour comprendre...

— Vieille! Je n'ai que trente-deux ans! se récria Rosemonde en portant sa main à son épaisse chevelure noire qu'aucun fil blanc n'éclaircissait.

Sibylle haussa les épaules, et profita de la stupeur de sa femme de chambre pour enfiler à toutes jambes le couloir menant au parloir. Rosemonde dut s'élancer à petits pas précipités derrière elle, mais ne put rattraper la jeune fille avant qu'elle ne percute de plein fouet la sœur apothicaire apparaissant à la porte du jardin du cloître. Son panier de plantes médicinales s'éleva dans les airs et libéra son contenu qui s'affala sur les briques ocre du passage, puis Sibylle donna durement contre le lourd battant de chêne et de fer forgé, manquant de s'assommer.

Les hauts cris de la sœur apothicaire se mêlèrent à ceux de Rosemonde qui se rua vers Sibylle, tombée parmi l'aneth, la rue, la menthe, le nard, les dattes et les figues fraîches désormais en piteux état.

— Mon Dieu!... Mon Dieu!... Mon Dieu! répétait la servante, en tâtant la tête de sa protégée pour s'assurer que le sang n'en giclait pas.

Sibylle se releva en grimaçant. Un tel incident allait sûrement lui valoir quelques coups de verge. La sœur apothicaire s'en plaindrait à l'abbesse, c'était imparable.

La religieuse dévisagea la jeune fille, mais son regard était insondable. Sibylle s'excusa, peut-être cela suffirait-il à lui éviter un châtiment? Soudain, elle se rappela que la vieille femme était sourde et muette de naissance. Elle esquissa quelques signes pour exprimer ses regrets, s'empressa de ramasser les herbes et les quelques fruits, remit le tout dans le panier et tendit celui-ci, tête basse, à la sœur éberluée par autant d'effronterie.

À cet instant, la sœur portière surgit. À la grande surprise de Sibylle, le cerbère ne s'inquiéta nullement de la présence de la princesse, de sa chambrière et de l'apothicaire dans ce couloir jonché de débris de plantes. Elle lui lança plutôt de sa voix grave :

— Vous êtes attendue tout de suite au parloir !

— Qui ? Moi ? s'exclama Sibylle, en ouvrant grand ses beaux yeux verts.

La portière ne répondit pas et fit demi-tour en faisant claquer les plis de sa robe noire.

La jeune fille lui emboîta le pas, suivie comme son ombre par Rosemonde. Quelques secondes après avoir tourné une fois à droite et une fois à gauche dans le dédale de couloirs, elles arrivèrent devant une autre porte de chêne, celle du parloir.

— Pas vous ! intima le cerbère à Rosemonde, en plaquant sa paume sur la poitrine de la chambrière.

Sibylle haussa les épaules en faisant la moue en direction de sa femme de chambre, puis entra dans la pièce, la porte se refermant dans son dos en grinçant.

Voilà bien longtemps que la princesse n'avait pas été convoquée dans cette pièce étroite. Elle recevait si peu de visites. Son regard s'arrêta sur le mobilier, comme si elle le voyait pour la première fois. Il faut dire qu'il était impressionnant. Ce couvent ne ressemblait en rien aux autres, beaucoup plus austères. Mélisende n'avait pas accepté que sa cadette Ivète, fille de roi, vive dans la pauvreté, même si sa sœur avait choisi les ordres de son plein gré. Des quatre coins de la pièce, retenus par de puissantes chaînes, descendaient des lampesiers dont les petits godets remplis d'huile et d'une mèche servaient à éclairer les lieux. Fabriquées d'argent et de bois, ces couronnes de lumière étaient superbement décorées de motifs religieux.

Dans le fond de la pièce, occupant tout le mur, se dressait une grosse armoire à douze panneaux vermillon sur lesquels se détachaient des sujets profanes peints en blanc. Elle était agrémentée de ferrures blanches, noires et rouges du plus bel effet. Le sol du parloir était couvert d'un immense tapis affichant des scènes de chasse et sur les murs s'étendaient des tapisseries venues du royaume de France, mais aussi de Flandre et d'Angleterre, représentant des scènes de bataille. Une douzaine de sièges garnis de moelleux coussins étaient disposés dans la pièce. Sibylle remarqua enfin que les deux chaises à haut dossier, habituellement réservées aux dignitaires, étaient occupées. Son regard balaya la pièce et s'attarda sur deux autres personnages qui attendaient, en retrait. La pénombre ne lui permettait pas de distinguer les traits de tous ces gens. Elle ne reconnut que la silhouette de sa parente. La jeune fille n'osait faire un pas, impressionnée par la majesté du lieu. Elle se demandait aussi ce qu'elle avait pu dire ou faire pour attirer l'attention de sa grand-tante, car il était rare que l'abbesse la convoque. Elles s'étaient vues quelques semaines plus tôt pour son anniversaire, lorsque Ivète lui avait remis une lettre de sa mère, et Sibylle ne comptait pas la croiser de nouveau avant la Noël.

— Approchez, mon enfant! l'invita la supérieure, accompagnant ses paroles d'un geste gracieux de la main pour la presser de s'exécuter.

La jeune fille inspira profondément, pour se donner une contenance, puis se dirigea à pas mesurés vers sa grand-tante. Elle songea que celle-ci serait fière d'elle, puisqu'elle avait réussi à calmer les palpitations de son cœur et à ralentir son pas. Habituellement, elle avait plutôt tendance à parcourir les couloirs en courant, malgré les remontrances des sœurs qui l'encourageaient à modérer son tempérament parfois un peu trop enjoué.

Arrivée près des hautes chaises, elle découvrit enfin le second personnage. C'était un moine d'environ une cinquantaine d'années, enveloppé dans une ample robe brune; la capuche rabattue permettait de voir un crâne chauve surmontant un visage ovale au nez long, prolongé d'une barbe grise fournie. Il avait un air jovial, souriant, même si une certaine tristesse habitait ses yeux noirs. Avant même qu'il n'ait prononcé une parole, Sibylle devina que ce voyageur était porteur de mauvaises nouvelles.

— Ma mère! cria-t-elle, en tombant à genoux aux pieds de l'abbesse.

Déjà des sanglots la secouaient.

— Non, non, rassure-toi ! répondit Ivète, lui tendant la main pour l'aider à se relever. Agnès de Courtenay va bien.

La jeune fille soupira, et assécha rapidement ses yeux du revers d'une manche. Elle se trouva stupide, et la honte lui fit monter le rouge aux joues.

— Par contre, il s'agit bien de ta mère…

La jeune fille fronça les sourcils.

— Frère Ondaric a un message pour toi.

Le moine détacha aussitôt le parchemin qu'il tenait étroitement ficelé contre son avant-bras droit, bien caché sous la large manche de sa bure de laine, et l'ouvrit. La croyant illettrée, il s'en allait le déchiffrer à haute voix.

— Je sais lire ! affirma Sibylle, en lui arrachant la missive des mains.

Elle se mit à la dévorer des yeux une première fois. Puis, elle reprit sa lecture au début plus calmement. La lettre ne contenait que quelques mots, mais ils firent bondir son cœur dans sa poitrine. Son père, pris de subites et terribles douleurs abdominales et de vomissements, était au plus mal. Le roi Amaury n'en avait sans doute plus que pour quelques jours à vivre, il se vidait de son sang par voie rectale. Agnès exhortait sa fille à rentrer au plus vite à Jérusalem. Elle-même était déjà en route pour le palais royal.

Depuis des années, Sibylle rêvait de ce retour dans la Ville sainte, mais même dans ses pires cauchemars, elle n'aurait pu imaginer que ce serait pour dire adieu à ce père qu'elle avait si peu connu. Son cœur se serra.

— Votre mère m'a aussi chargé de vous remettre cet objet, princesse Sibylle ! déclara Ondaric.

Il lui tendit un coffret d'ivoire, bordé de lames de cuivre doré finement gravées de têtes de dragon grimaçantes. Sur le couvercle, des entrelacs de feuilles, de fleurs et de serpents. Sibylle tenta de soulever la ferrure de fermeture, de petite dimension, mais celle-ci était soigneusement close.

— La comtesse de Jaffa et d'Ascalon vous fait dire de ne pas ouvrir ce coffret avant la mort du roi Amaury, sembla s'excuser le moine.

— Alors pourquoi me le donner maintenant ? répondit sèchement la jeune fille. Ma mère aurait très bien pu me le remettre à Jérusalem, au chevet de mon père.

— Vos ennemis sont nombreux, princesse, lâcha le moine. Ce coffret sera plus en sûreté entre vos mains innocentes qu'entre celles de votre mère dans les jours douloureux à venir.

Sibylle dévisagea le moine et sa grand-tante. Contre son sein, sous sa chemise de lin, elle sentait le métal de la petite clé qui ne l'avait jamais quittée depuis ses huit ans. Pendant des années, elle avait imaginé que celle-ci ouvrait un coffre rempli d'or, de pierreries, de bijoux fabuleux. Après tout, n'était-elle pas fille de roi ? Maintenant, elle n'avait plus aucun doute, il s'agissait de la clé de ce mystérieux coffret. Saurait-elle tempérer ses pulsions et obéir à sa mère ? Elle mourait d'envie d'ouvrir cette boîte sur-le-champ.

— Faites préparer vos effets, ma fille ! dit Ivète. Frère Ondaric vous escortera jusqu'à Jérusalem en fin d'après-midi.

La supérieure quitta sa chaise et s'approcha. Sibylle se raidit lorsque sa parente l'attira contre elle et déposa ses lèvres sur son front. Jamais la religieuse n'avait eu un geste aussi intime à son égard, malgré leur parenté.

— Je ne crois pas que nous nous reverrons, ma petite-nièce. Soyez sage et avisée. Je vous souhaite une longue vie. Transmettez mes vœux à votre frère. Je prierai pour lui… et pour vous.

Sibylle déglutit. Elle ne comprenait pas encore complètement ce qui lui arrivait. D'un pas incertain, elle recula, en gardant les yeux fixés sur le moine, jusqu'à la porte qu'elle ouvrit lentement. De l'autre côté, Rosemonde, patiente comme toujours, l'attendait.

À son air ahuri, la chambrière devina qu'il se passait un événement important.

— Vous en faites une drôle de tête ! On dirait que vous avez vu la mort…

— Ne fais pas de blague avec ça, Rose… l'interrompit Sibylle.

La jeune fille se dirigea vers sa chambre à pas lents, se donnant le temps de bien assimiler les propos qu'on lui avait tenus dans le parloir. Sans lâcher son coffret, elle donna ses ordres à sa servante.

— Prépare mes affaires… et les tiennes ! Nous quittons l'abbaye…

— Quoi ? fit Rosemonde, fixant sa maîtresse et cherchant à deviner si celle-ci n'était pas encore en train de lui jouer un tour, comme elle en avait l'habitude.

— Ne fais pas l'âne ! Tu m'as bien comprise ! Dépêche-toi !

— Allez-vous enfin me dire ce qui se passe ? râla la servante qui, en tant que seule confidente de la princesse depuis toutes ces années, était au courant de tous ses secrets, de ses rêves les plus fous, de ses peines comme de ses joies les plus grandes.

— Nous rentrons à Jérusalem, Rosemonde ! Nous voici libres. Enfin !

Sa voix se brisa soudain :

— Mon père se meurt. Il veut tous nous réunir une dernière fois autour de son lit de mort.

— Tous ?

— Oui ! Ma mère, mon frère, ma belle-mère Marie, Isabelle, ma demi-sœur que je ne connais que de nom, et moi.

La chambrière fit la moue, se demandant quelle mouche avait piqué le roi Amaury pour appeler à son chevet sa première femme répudiée, la comtesse Agnès, et son épouse en titre, la reine Marie.

— Vraiment les hommes ont de drôles d'idées, et pas toujours les meilleures, marmonna-t-elle en ouvrant la grande armoire qui contenait les robes et les effets personnels de sa maîtresse.

M

La journée passa lentement. Sibylle et Rosemonde mangèrent en tête à tête dans la chambre de la jeune fille, comme chaque jour. Mais la princesse avait tellement hâte de quitter l'abbaye que l'appétit lui manqua. Elle chipota du bout des doigts l'oie qu'on lui avait rôtie.

À none, la neuvième heure du jour, elle ne tenait plus en place, enfilant et ajustant mille fois son aumusse* qui lui tombait sur les yeux à chaque mouvement. Enfin, avec des gestes fébriles, elle revêtit son manteau de voyage bleu foncé par-dessus sa robe perle, et Rosemonde put finalement y attacher la capuche. Sur le devant, le manteau se fermait par une agrafe précieuse.

Les deux femmes quittèrent la chambre qui avait abrité leurs treize dernières années sur un dernier regard chargé d'émotion.

— Je ne pensais jamais dire cela un jour, murmura la servante, mais l'odeur de pierre, de sable, d'encens et de cire de ces lieux me manquera.

— Pas à moi ! fit Sibylle, en refermant la porte de ses appartements.

— Croyez-moi, princesse. Un jour, vous repenserez avec nostalgie à ce silence feutré, aux petits pas glissés des nonnes sur le carrelage des couloirs, aux craquements des portes de chêne, au bruit du vent dans l'oliveraie…

— Veux-tu cesser ! Dépêche-toi, on nous attend !

𝔐

Devant l'abbaye, tenant deux mulets chargés de coffres, Ondaric et les deux personnes que Sibylle n'avait qu'entrevues dans le parloir les attendaient. La princesse découvrit donc le novice et l'enfant.

— Eh bien, toute une escorte ! lança-t-elle à sa chambrière sur un ton persifleur. Où est mon alezan ?

— Nous irons à pied, princesse ! décréta Ondaric. Votre tenue ne permet pas que vous montiez à cheval.

— Mais… balbutia Sibylle, qui tenait beaucoup à son cheval Étoile filante, ou plus précisément Rashiiq Najm, son nom d'origine arabe. Je ne partirai pas d'ici sans mon alezan ! laissa-t-elle tomber en plantant solidement ses talons dans le sable pour bien marquer sa résolution.

— Il est prévu qu'un écuyer vienne le chercher dans quelques jours, répondit Ondaric, qui venait d'inventer cette excuse pour clore la discussion.

— Dites plutôt que vous êtes superstitieux et que vous ne voulez pas vous montrer avec un animal roux, dans les rues de Jérusalem ! objecta la jeune fille, qui ne s'en laissait pas facilement conter. Je ne partirai pas d'ici sans mon cheval, tenez-vous-le pour dit. Même si, pour vous, mon animal a la couleur de la traîtrise !

Ondaric comprit qu'il n'avait rien à gagner à braquer la princesse contre lui. La troupe rentra donc dans le couvent, le temps que le palefrenier de l'abbaye prépare la monture. Et ce fut avec plus d'une heure de retard sur l'horaire prévu que le groupe s'avança dans le désert, Sibylle installée sur son Étoile filante, dominant ses compagnons de son air altier.

Pendant tout ce temps, Philémon de Hierges n'avait cessé de la regarder. Jamais il n'avait vu une si belle jeune fille. Sans qu'il puisse en comprendre la raison, les battements de son cœur accélérèrent et ce fut avec des mains moites qu'il s'empara des rênes du mulet transportant les effets de la princesse et de sa chambrière.

3

Avant de laisser le monastère derrière eux, les voyageurs firent une ultime halte devant le sépulcre de Lazare ; une chapelle avait été bâtie autour de la grotte où, selon les croyances, l'homme avait été ressuscité par Jésus. Rosemonde s'agenouilla pour une supplique dans laquelle elle réclama à voix basse la protection du saint pour sa maîtresse et elle-même. Tous se recueillirent en silence, chacun implorant saint Lazare d'exaucer ses vœux et de porter ses prières aux Cieux. Puis le groupe entreprit la descente du versant est du mont des Oliviers. Au lointain, au soleil couchant se dessinait la silhouette de Jérusalem, grouillante de vie derrière ses remparts.

Sur Étoile filante, Sibylle trottait en tête de file, savourant d'avance la nouvelle vie qui l'attendait. Elle avait le cœur léger, même si elle s'interrogeait sur l'agonie de son père. Elle avait appelé la bénédiction de Lazare sur sa famille, tout en craignant que sa trop grande joie de quitter l'abbaye n'indispose Dieu et ses saints.

Ils avançaient sur le chemin désertique, chacun perdu dans ses pensées; soudain, l'alezan de la princesse fit un écart et s'ébroua bruyamment. Sibylle caressa l'encolure de l'animal pour le calmer, mais en levant les yeux, elle comprit aussitôt la raison de son agitation. Devant elle, surgissant de derrière un rocher hurlaient cinq ou six Bédouins, enturbannés de blanc, qui leur interdisaient le sentier. Ils avaient choisi le bon endroit. Il était impossible à la jeune fille de s'écarter pour les contourner à cause des nombreux rochers qui lui bloquaient le passage. À pied, elle aurait peut-être pu tenter la fuite, mais pas à cheval. Son alezan pourrait se blesser, elle ne voulait pas courir ce risque. Les Bédouins l'encerclèrent. Elle hurla.

Alertés par ses éclats de voix et les hennissements du cheval, ses compagnons coururent la rejoindre. Mais que pouvaient faire un moine, un moineton, un enfant et une servante contre des hommes dans la force de l'âge?

— Emparez-vous de la fille d'Amaury! ordonna un des nomades, en arabe. Mais pas de violence... Il nous la faut saine et sauve. Nous en obtiendrons une bonne rançon. Débarrassez-vous des autres!

Ondaric comprit aussitôt le danger. Il avait passé toute sa vie dans ces collines, et avait appris le langage des différentes peuplades locales. D'un geste vif, il souleva sa bure. Sibylle aperçut une cotte de mailles et une petite hache d'armes – une lame tranchante du côté droit et à bout pointu du côté gauche –, qu'il portait à la ceinture. Comme beaucoup de religieux de la Terre sainte, il était prêt à se battre pour défendre sa vie et celle des Francs.

Les Bédouins éclatèrent de rire devant cette piètre protection. Le chef des nomades se précipita vers l'alezan qu'il saisit par la bride pour l'attirer avec sa cavalière à l'écart, parmi les buissons épineux.

— Le coffret ! Vite ! cria-t-il de nouveau en arabe.

N'écoutant que son courage et une violente émotion qu'il ne sut s'expliquer, le page se porta au secours de la princesse, mais d'un rude coup de poing assené à la tête, un second Sarrasin l'assomma. Philémon s'étala de tout son long sur la poussière du chemin, à peine conscient. Puis l'homme empoigna la bride du mulet que l'enfant tentait encore de retenir, avec maladresse. Le Bédouin éloigna l'animal, avec tous les bagages qu'il transportait, malgré les cris de Rosemonde et du moinillon qui voulurent s'interposer.

Voyant que le jeune moine se lançait à ses trousses, le Sarrasin tira de sa ceinture son sabre à lame courbe et l'abattit de toutes ses forces sur le crâne du novice. Le sang et la cervelle giclèrent avant que le jeune homme ne s'effondre raide mort.

Des larmes plein les yeux, Sibylle tourna la tête vers celui qui commandait les assaillants et qui l'entraînait à sa suite. Son turban avait glissé ; elle découvrit deux grands yeux bleu ciel qui la fixaient avec méchanceté.

Elle n'avait jamais vu une telle couleur d'yeux auparavant, mais surtout des pupilles remplies d'une aussi grande violence. Elle ne l'oublierait jamais de sa vie.

Sibylle retint une exclamation, comprenant qu'elle ne devait pas manifester sa surprise. Si son ravisseur s'apercevait qu'elle possédait un indice permettant de l'identifier, sa vie ne tiendrait plus qu'à un fil. Elle frissonna, ressentant pour la première fois une véritable crainte. Son énergie la quitta d'un coup, elle s'abandonna aux balancements de sa monture. Où la conduisait-on ? Qu'arrivait-il à son escorte ? Où était Rosemonde ? Elle ferma les yeux, retenant un sanglot en songeant que sa chambrière, sa meilleure et seule amie, avait sans doute subi le même sort que le novice, à moins que ce ne soit pire. Le viol en tant qu'arme de guerre, elle en avait entendu parler à l'abbaye même. Quelquefois des jeunes femmes souillées et traumatisées étaient conduites au couvent pour tenter de s'y reconstruire une vie dans l'oubli, le calme et la prière. Elle avait déjà croisé leurs regards morts et entendu, dans la nuit et malgré l'épaisseur des murs, leurs cris de terreur.

Soudain, des hurlements percèrent la brume qui avait envahi son esprit, des clameurs en langue franque, « Trahison ! Trahison ! » puis le galop de chevaux avançant à bride abattue.

De nombreux cavaliers arrivaient au-devant de la jeune princesse, menaçant le Bédouin de leurs longues et lourdes épées droites. Celui-ci saisit aussitôt qu'il n'aurait pas le dessus, et préféra lâcher la bride de l'alezan. Il dévala la pente, parmi les rochers, là où il pouvait se faufiler, au contraire des chevaux. Les autres nomades abandonnèrent le terrain, et filèrent sans demander leur reste.

Philémon de Hierges se releva lentement. La tête lui tournait et il se sentait bien faible. Rosemonde, qui n'avait subi ni outrage ni blessure, le soutint, tandis qu'Ondaric, penché sur le corps du novice, récitait la prière des morts: « Seigneur, donnez-lui le repos éternel... »

Les cavaliers entourèrent Sibylle qui les remercia avec des trémolos dans la voix. Relevant son casque à nasal, le plus âgé des chevaliers – il avait environ une cinquantaine d'années –, s'approcha de la princesse.

— Bonjour, cousine, la salua-t-il sur un ton enjoué.

— Cousine ? répéta la jeune fille, autant éberluée que soulagée.

— Milon de Plancy, seigneur de Montréal et d'Outre-Jourdain, sénéchal du royaume, pour vous servir, princesse.

— Co... comment avez-vous appris que ces... que les Sarrasins s'en prenaient à nous ? l'interrogea Sibylle, encore choquée par l'agression.

— Nous n'en savions rien ! Nous sommes de retour d'une tournée d'inspection et devions de toute façon passer par cette route. Une heure plus tôt ou une heure plus tard, nous n'aurions rien pu faire.

Sibylle tourna son beau visage enfantin vers Ondaric, en tapotant l'encolure d'Étoile filante.

— Si je n'avais pas insisté pour prendre mon alezan, je serais sûrement entre les mains des musulmans à l'heure qu'il est, fit-elle sur un ton de défi, sans doute pour conjurer la peur qui courait encore dans ses veines.

Philémon de Hierges lui sourit. La beauté de la princesse était rehaussée par le léger teint rosé que lui avait donné sa frayeur. Le garçon s'interrogeait cependant. Il avait surpris lui aussi le regard bleu ciel du chef des Bédouins. Était-ce vraiment des Arabes qui les avaient attaqués ? Il en doutait. Était-ce possible que ce soient des chrétiens déguisés ? Et dans quel but enlever Sibylle ? Il tourna son visage hâlé, franc et sérieux, vers le moine. Était-ce bien la jeune fille qui était visée ou plutôt son coffret ? Pendant leur marche vers l'abbaye Saint-Lazare, Ondaric leur avait répété que la boîte ne devait pas tomber entre les mains de leurs ennemis. Si on avait voulu s'en prendre à la princesse, il aurait été facile de le faire lors de ses promenades dans l'oliveraie du monastère.

— La boîte ! cria Philémon au terme de sa réflexion.

Le Bédouin qui l'avait assommé s'était emparé du mulet et des bagages de la princesse. Le coffret était perdu ! Ondaric vint le rejoindre, un air catastrophé sur le visage. Il avait failli à sa mission et n'avait pu protéger le secret que recelait la boîte en ivoire.

Sibylle éclata d'un rire nerveux. La peur, qui lui avait permis d'affronter le danger avec une détermination peu commune, commençait à la quitter. Elle releva un pan de son manteau et brandit entre ses mains l'objet blanc crémeux.

— Vous m'aviez dit de ne pas m'en séparer, c'est ce que j'ai fait.

Ondaric et Philémon poussèrent un soupir de soulagement, en souriant à la princesse. Tout à coup, une main gantée de cuir tanné s'abattit sur l'épaule de l'enfant et le fit pivoter.

À une coudée au-dessus de lui se dressait un écuyer qui le dévisageait avec un demi-sourire aux lèvres.

— Grégoire ! Grégoire d'Irfoy ! s'exclama l'enfant, ses grands yeux noirs dilatés de surprise.

— En personne ! affirma l'adolescent.

— Que... qu'est-ce... comment ? bredouilla Philémon.

— Ha ! ha ! J'ai été fait écuyer, il y a un an, au krak* de Montréal.

— Tu... tu as rejoint les Templiers ?

— Non. Je suis au service de la famille de Milly.

Il indiqua le blason argent et noir, c'est-à-dire « de sable au chef d'argent », comme cela se dit en héraldique*, sur son surcot*.

— Étiennette de Milly est l'épouse du seigneur de Plancy, précisa-t-il.

Philémon hocha la tête. Il était heureux pour son cousin, mais un peu jaloux aussi. Il avait hâte de grandir pour devenir écuyer à son tour, et surtout chevalier, pour arborer fièrement les deux léopards d'argent couronnés d'or sur fond rouge qui représentaient les armes de sa famille, comme le lui avait confié sa tante, la mère de Grégoire. Elle lui avait aussi enseigné qu'en héraldique, son armoirie se disait « de gueules aux deux léopards contournés d'argent couronnés d'or, passant l'un sur l'autre ».

— Mais toi, que fais-tu ici ? l'interrogea Grégoire, avec un petit ton supérieur qui ne plut pas à Philémon. Je te croyais chez les Hospitaliers.

— Je le suis ! répondit fièrement le garçon. Mon éducation a été confiée à Géraud, un excellent chevalier de l'ordre des Hospitaliers de Saint-Jean de Jérusalem, qui est mon parrain depuis que j'ai huit ans. Il m'apprend à m'occuper des chevaux, des armes, de l'équipement et de ses vêtements. Il m'enseigne aussi à monter à cheval et à me battre au bâton.

— Très bien ! fit Grégoire. Mais ça ne me dit pas ce que tu fais ici, en ce moment, avec un moine, un novice et deux femmes.

Philémon se mordit la lèvre inférieure. Il avait bien envie de clouer le bec de son cousin, qui n'avait que cinq ans de plus que lui, en lui racontant qu'il était en mission. En mission spéciale même ! Mais voilà, il avait juré le silence sur le salut de son âme, avant de se joindre à la petite troupe chargée d'escorter la princesse. Non, il ne pouvait rien dire. Les paroles du chevalier Géraud résonnaient encore clairement dans sa mémoire :

« C'est une mission importante, Philémon. Personne ne se méfiera d'un enfant et de deux moines. Tu seras mes yeux et mes oreilles. À votre retour, tu devras tout me rapporter, jusqu'au plus petit détail. Sois très attentif. Retiens chaque parole, chaque geste que tu verras. Enregistre dans ta mémoire le visage de tous les gens que tu croiseras: hommes, femmes, enfants ou vieillards. Je veux tout savoir. Tout! Tu as bien compris?»

Philémon avait promis. Il ne faillirait pas à sa parole.

Justement, les yeux bleus du Bédouin étaient gravés en lui pour l'éternité. Est-ce que ses compagnons avaient eux aussi croisé ce regard haineux? Il hésitait à s'en ouvrir à Ondaric, mais il se promit d'en avoir le cœur net avant de rentrer dans la Ville sainte.

— Je sers de valet au moine, dit-il à son cousin, pour clore la discussion.

— Valet! s'offusqua Grégoire d'Irfoy. Mais c'est indigne! Géraud mériterait cent coups de verge...

— C'est moi qui ai proposé à mon maître d'être le serviteur du moine. J'avais besoin de sortir de Jérusalem, tu comprends? Besoin de changer d'air... dit-il, tout surpris que ces mots lui viennent si facilement à l'esprit.

Sa mission le forçait à la dissimulation. Même s'il n'aimait guère abuser autrui, il se sentait entraîné dans le mensonge. Il serra très fort les lèvres, en espérant que son cousin s'éloignerait bientôt. Il ne voulait pas poursuivre cette conversation qui l'amenait à trahir sa foncière honnêteté.

— Oh! Très bien! ricana Grégoire. Mais à force de te plier pour servir les autres, tu vas finir par te faire un tour de rein. J'espère au moins que l'Hospitalier t'apprend à manier les armes aussi bien qu'à courber l'échine.

Sur ces mots railleurs, l'écuyer se hâta de rejoindre le seigneur de Montréal et de prendre sa place dans l'escorte armée qui entourait désormais la fille du roi de Jérusalem.

Philémon grimaça. Qu'on le traite de laquais passait encore, mais de peureux, cela le faisait rager. Le visage fermé, il prit place à son tour dans la colonne qui s'étira vers Jérusalem.

Pendant tout le trajet, des sentiments perturbants l'agitèrent. Mais ce qui le surprit le plus fut de ressentir de la colère contre son cousin lorsque celui-ci se penchait à l'oreille de la princesse pour lui chuchoter on ne sait trop quel secret.

4

Le corps du novice avait été hissé sur la monture d'un écuyer, car il était hors de question de livrer le cadavre d'un Franc, qui plus est d'un religieux, aux becs des grands vautours qui tournoyaient au-dessus d'eux. Ondaric et Philémon étaient grimpés en croupe derrière des chevaliers, ainsi le cortège put chevaucher rapidement au soleil couchant.

Le souvenir des yeux bleus du Bédouin ne cessa de tourmenter Philémon pendant toute la durée de la cavalcade. Sibylle n'y pensait déjà plus.

Ils franchirent le torrent du Cédron, presque à sec en cette période de l'année. Puis approchant de la ville, ils virent la tour de David qui se dressait au-dessus de la Citadelle, devinèrent la basilique du Saint-Sépulcre en rénovation, et découvrirent finalement la ville entière. Ondaric se signa, comme chaque fois qu'il approchait de la Ville sainte. Ils entrèrent par la porte de Josaphat, qui donnait sur le mont des Oliviers, et dont les sentinelles s'empressèrent de refermer la herse* derrière eux, pour la nuit.

En cheminant par les rues étroites de Jérusalem, Sibylle surprit des pleurs ; c'étaient ceux des habitants qui se lamentaient de la maladie de son père. Sa peine lui revint en plein cœur et lui noua la gorge.

Le groupe longea le mur d'enceinte du Temple, puis coupa à travers la ville, en direction de la Citadelle, contre laquelle était établi le palais royal où le roi de Jérusalem vivait ses dernières heures. Tout à coup, quelques paroles du seigneur de Plancy parvinrent aux oreilles de Philémon. Le sénéchal s'adressait à un chevalier que l'enfant ne connaissait pas. Mais ce n'était pas l'identité de ce Franc qui l'intéressait. Non, ce qui le captivait, c'étaient les propos qu'échangeaient les deux hommes :

— Je n'ai pas voulu alarmer la princesse Sibylle, mais je trouve intrigant et inquiétant que des Bédouins aient attaqué sa petite troupe aussi près des murailles de la ville.

— Vous avez raison, toute la région est sous notre protection. Ces nomades sont inconscients ou… très injurieux à notre endroit ! Mais qu'ils viennent nous narguer jusque sous les remparts de la Ville sainte ne me paraît pas de bon augure, et…

— Je ne suis pas de votre avis, Drogon ! l'interrompit vivement Milon de Plancy. Ils ont détalé à notre approche, sans combattre. Les Sarrasins ne s'enfuient pas d'habitude, ils nous affrontent.

— Que me laissez-vous entendre ? Que ce n'étaient pas des Sarrasins ?…

— Je ne sais pas… je…

Les chevaliers s'éloignèrent et Philémon perdit le reste de la conversation. Mais il en avait assez entendu. Ainsi, tout comme lui, le sénéchal avait des doutes. Ce fut ce qui incita l'enfant à parler de ce qu'il avait vu au moine.

Lorsque Plancy, Sibylle et quelques autres chevaliers furent entrés dans l'enceinte de la Citadelle, Ondaric et le page se dirigèrent vers l'hostellerie Jean-Baptiste, sous la tutelle des Hospitaliers, où ils œuvraient auprès des malades, des blessés et des pauvres pèlerins. Philémon devait se hâter de parler au moine, car une fois à l'intérieur de l'hospital, ils se sépareraient pour vaquer à leurs occupations.

— Frère… commença-t-il. Je voulais vous dire quelque chose…

— Vas-y, mon garçon ! Pourquoi hésites-tu ? Tu as eu peur dans l'embuscade. Je dois t'avouer que moi aussi. Mais enfin, tout finit bien. C'est cela le plus important…

Philémon prit son courage à deux mains, et malgré l'impolitesse de son intervention, il coupa la parole au moine.

— Ce n'est pas ça ! Frère, l'un des Bédouins avait des yeux bleus… bleu pâle, très pâle, comme le ciel au lendemain d'un orage.

— Que me racontes-tu là ?

— La vérité vraie, frère ! Je le jure !

— Hum ! Certains Berbères ont les yeux pâles…

— Je ne crois pas que ces gens étaient de véritables Bédouins. À mon avis c'étaient des Francs déguisés, insista Philémon.

Ondaric scruta les traits de l'enfant. Il ne mentait pas. Son regard sincère le fixait sans ciller.

— Ce n'est pas un indice suffisant pour accuser des chrétiens, mon petit.

— Ah oui ? Alors, pourquoi nos chevaux sont-ils tombés raides morts dans le désert ?

— Ils ont peut-être brouté des herbes qui ne leur convenaient pas, répliqua le moine.

— Et qui leur a donné ce fourrage, frère ? Ce sont des chevaux arabes. D'instinct, ils savent quelles herbes sauvages ils doivent éviter. Et puis nos bêtes venaient des écuries de l'hostellerie Saint-Jean. Les Hospitaliers sont des moines-soldats, leur vie dépend du soin et de l'attention qu'ils portent à leurs armes et à leurs montures.

— Je ne sais pas ! fit Ondaric en passant une main tavelée dans sa barbe grise. Ce que tu insinues là me laisse songeur ; je vais étudier la question.

— Quoi qu'il en soit, le sénéchal du royaume semble de mon avis ! conclut le garçon.

Et il s'éloigna en direction de l'hostellerie où il savait trouver son parrain Géraud.

Ondaric fronça les sourcils, se demandant ce que le gamin voulait dire. Plancy n'avait certainement pas confié ses doutes à un enfant de onze ans, même si ce dernier était de bonne naissance. Après tout, Philémon n'était qu'un page placé chez les Hospitaliers pour y apprendre le métier des armes. Ondaric se promit de discuter de son cas avec le chevalier Géraud.

M

À peine entrée dans la Citadelle, Sibylle demanda à Rosemonde de la laisser et se fit conduire à la chambre du roi par un garde. Elle trouva son père alité et râlant de douleur. Malgré la chaleur de juillet, Amaury claquait des dents sous les couvertures de laine qu'on avait entassées sur son corps amaigri. Les fenêtres aux carreaux de corne transparente étaient closes et une odeur d'excréments, de maladie et de mort flottait dans la pièce.

Tout autour du lit d'agonie, des prélats et des barons chuchotaient. Elle peina à les reconnaître, après treize ans d'éloignement. À l'écart, une fillette d'environ deux ans s'agitait entre les bras de sa nourrice. « Voilà sans doute ma petite sœur, Isabelle », songea-t-elle. D'un côté de la couche, elle aperçut une femme à l'épaisse chevelure noire, qu'elle supposa être sa belle-mère Marie Comnène et de l'autre, elle vit sa mère, Agnès de Courtenay, qui se tenait près de Baudouin, maintenant âgé de treize ans. Son frère avait bien changé depuis qu'ils s'étaient vus, trois ans plus tôt, lors d'une de ses rares visites au couvent.

Sibylle sursauta lorsque Baudouin tourna son visage vers elle. Sa peau affichait de grandes taches dépigmentées ; ses joues et son front étaient parsemés d'éruptions cutanées qui l'enlaidissaient. La gorge de la princesse se serra. Elle aurait aimé le prendre dans ses bras, mais la crainte d'être repoussée l'en empêcha. Le jeune prince était assis, car la douleur causée par la lèpre avait envahi tous ses membres, et il ne pouvait rester debout longtemps. En voyant sa sœur le scruter, il plongea sa main gauche déformée dans la manche de son surcot. Elle lui adressa un regard rempli de compassion.

Puis, intimidée malgré tout, elle s'approcha lentement du lit qu'elle contourna pour prendre sa place, à la gauche du roi. Elle hésitait à se pencher sur le front de ce père, âgé de trente-neuf ans seulement, qui lui parut être un vieillard tant la dysenterie avait laminé son corps, autrefois vigoureux. N'était-elle donc rentrée à Jérusalem que pour voir la douleur et le malheur déformer les traits de ceux qu'elle aimait ?

Elle salua d'un léger hochement de tête le comte Raimond de Tripoli, qui lui faisait face de l'autre côté du lit. Il avait récemment acquis le titre de prince de Galilée et de Tibériade par son récent mariage avec Échive de Bure, la veuve de l'ancien porteur du titre. Il était donc devenu, en peu de temps, l'un des plus puissants seigneurs de Terre sainte. Sibylle ne se laissa pas tromper par le sourire estompé dont il l'honora. Par les chants et les récits des troubadours qui venaient la distraire à l'abbaye, elle s'était fait un portrait peu flatteur du personnage. Elle le savait violent, prompt et rempli d'orgueil.

Retenu prisonnier des Sarrasins pendant huit ans, à l'âge de vingt-quatre ans, Raimond de Tripoli n'avait réussi à réunir l'argent pour payer sa rançon que vingt-quatre mois plus tôt, au contraire de plusieurs autres prisonniers, parfois moins nobles mais beaucoup mieux nantis. Il était revenu parmi les chrétiens aigri, ambitieux, et bien décidé à exercer toute sa puissance, recourant même au crime pour parvenir à satisfaire son ambition dévorante. Il n'hésitait pas à écraser ceux qui étaient en dessous de lui, par leur condition réelle ou par l'image qu'il se faisait d'eux. Raimond de Tripoli méprisait les faibles et n'avait d'autres intérêts que les siens.

Leurs yeux se tinrent en respect pendant plusieurs secondes. Sibylle était résolue à ne pas baisser le regard la première. Ce fut un râle de son père qui l'obligea à lâcher prise. Elle se pencha au-dessus du roi Amaury et lui prit la main, elle était glacée. En cet instant, toute la rancœur qu'elle avait entretenue au fond d'elle, parce qu'il avait abandonné sa mère au profit du pouvoir, s'envola. Elle se rendit compte, à ce moment précis, combien elle lui ressemblait. Le pouvoir, voilà, pour elle aussi, ce qui lui garantirait sa liberté. Elle était une fille, certes, mais les femmes de sa famille étaient des dames de tête, fortes et intrigantes quand il le fallait, comme sa propre mère.

Sibylle se promit que jamais elle ne serait un objet de tractation, même si elle se savait destinée à sceller des alliances par son futur mariage, pour garantir la couronne de Jérusalem sur la tête des membres de sa lignée. La princesse y était fermement résolue : les barons ne lui imposeraient pas un époux, elle le choisirait. Déjà, on avait tenté de la marier à deux reprises, cependant les ententes avaient échoué, à son grand soulagement.

Elle tourna de nouveau la tête vers son frère. En tant que garçon, il était l'héritier d'Amaury, mais l'adolescent était chétif et malade ; en plongeant ses yeux dans son regard fiévreux, elle songea qu'il ne survivrait pas longtemps. Les narines frémissantes, elle serra une fois encore la main de son père dans la sienne, et se fit une promesse : « Je serai reine de Jérusalem ! »

Soudain, les doigts d'Amaury se crispèrent. Sibylle sentit sur sa nuque le souffle de Baudouin qui était venu se placer tout près d'elle. Elle se détacha de son père tandis que le garçon se saisissait à son tour de la main squelettique. Moins d'une minute plus tard, le roi de Jérusalem expirait. Le prince renifla pour retenir ses larmes et Sibylle poussa un profond soupir. Ils ne pouvaient vivre leur peine en public.

Les chuchotements des prélats et des barons s'amplifièrent. Comprenant qu'il lui fallait agir vite si elle voulait avoir une quelconque influence sur les affaires du royaume, Agnès de Courtenay se hâta de rejoindre son fils. À cet instant, Milon de Plancy posa sa large main sur l'épaule du jeune homme. Le sénéchal avait été choisi par le roi pour devenir régent de Baudouin jusqu'à sa majorité, c'est-à-dire pendant deux ans encore, une décision peu appréciée par la noblesse du royaume. D'ailleurs, le corps du mort n'était pas encore froid qu'il était évident que bientôt plusieurs partis s'opposeraient.

Discrètement, Sibylle surveilla du coin de l'œil les mouvements des uns et des autres. Elle vit quelques nobles se placer derrière sa mère et son frère. Mais plusieurs se rangèrent aux côtés de Milon de Plancy et de Marie Comnène, princesse byzantine, seconde épouse d'Amaury, qui avait pris la petite Isabelle dans ses bras.

« Ah, non ! La Byzantine ne revendiquera pas la couronne au nom de ce bébé ! gronda Sibylle en elle-même. En prononçant l'exil de notre mère, la Haute Cour a aussi confirmé notre héritage, à Baudouin et à moi, et je ne laisserai personne nous en dépouiller. »

Pendant qu'elle réfléchissait aux intérêts des uns et des autres, la majorité des barons traversa la chambre pour rejoindre le côté où se tenait Raimond de Tripoli. Ainsi, sans avoir prononcé une seule parole, chacun choisissait son camp.

La jeune fille se demanda pourquoi son père avait rappelé Agnès à son chevet. Il devait bien se douter que cela créerait une division au sein de la noblesse. En relevant la tête, elle découvrit le regard de Raimond posé sur elle une fois encore. « Qu'est-ce qu'il mijote, celui-là ? » se demanda-t-elle, en le voyant sourire sans gêne, malgré la gravité du moment.

Une dizaine de minutes plus tard, tous quittèrent le chevet du roi, laissé désormais entre les mains des valets et des servantes qui allaient préparer son corps pour les funérailles. Sibylle et Baudouin suivirent leur mère dans la pièce qui lui avait été allouée au palais. La salle était triste; on avait tendu à la hâte sur les murs des tapisseries qui avaient dû être bourgogne à l'origine, mais que le temps et l'usure avaient rendues rose sale. Agnès n'en avait cure, une seule chose lui importait désormais: son fils serait bientôt couronné roi et la reine actuelle, Marie Comnène, devrait se retirer dans son domaine de Naplouse, au nord de Jérusalem. Agnès savourait avec délice ce retournement de situation. Elle n'avait jamais pardonné à Marie son mariage avec Amaury et surtout d'avoir pris la place sur le trône du royaume latin d'Orient qui, elle n'avait de cesse de le répéter, aurait dû lui revenir de droit.

Agnès s'installa sur une chaise à haut dossier et appela ses deux enfants près d'elle. Ils lui avaient tellement manqué pendant ses années d'exil! Elle déposa un léger baiser sur leur front. Agnès n'était pas du genre à s'adonner à des épanchements sentimentaux. Baudouin et Sibylle n'en espéraient point.

La comtesse examina attentivement Sibylle. À quinze ans, malgré ses joues rondes, la blonde princesse affichait un air déterminé qui plaisait à sa mère. Elle avait la taille fine et élancée. Agnès ne doutait pas de lui trouver un mari bientôt. La comtesse ne comptait pas la renvoyer croupir dans un couvent. Elle avait d'autres ambitions pour sa fille. Mais il n'était pas question de courir le risque de voir la couronne de Jérusalem ceindre la tête d'un godel* sans cervelle. Elle se dit qu'elle devait en parler avec Milon de Plancy le plus rapidement possible.

Quant à son fils, la lèpre avait déformé son beau visage, mais dans ses yeux brillait une lumière de courage et de force qu'elle reconnut aussitôt, pour l'avoir vue chez les hommes de sa famille. Elle songea qu'il pourrait être un bon roi si Dieu lui en laissait le temps.

— Venez, mes enfants ! Venez et pleurez tout votre saoul, car demain, le temps des larmes sera passé. Vous devrez assumer votre rang. Mais en cette heure difficile, venez vous réfugier dans mon giron.

Elle ouvrit les bras et ses deux enfants s'y blottirent.

M

Dans une pièce contiguë se rassemblèrent les ecclésiastiques et la Haute Cour, c'est-à-dire les princes et les barons les plus influents du royaume. Certaines décisions ne pouvaient attendre plus longtemps.

— Il faut oindre et couronner Baudouin au plus vite dans la basilique du Saint-Sépulcre, conformément aux traditions, déclara Milon de Plancy.

— Pourquoi aussi rapidement ? s'interposa Raimond de Tripoli.

Milon de Plancy ne prit pas la peine de répondre et proposa que la cérémonie ait lieu quatre jours plus tard. Comme personne ne s'y opposa, les archevêques et le prieur du Saint-Sépulcre se hâtèrent de regagner l'église pour la préparer. Un évêque se dirigea vers les appartements de Baudouin pour le prévenir, mais Rosemonde, qui sortait de ceux d'Agnès, lui apprit que le garçon était chez sa mère. L'évêque s'y rendit, délivra son message avec empressement et se retira en emmenant Baudouin qui devait prendre du repos, mais surtout prier avant d'accepter la lourde tâche qui lui incomberait bientôt. La mère et la fille se retrouvèrent en tête à tête.

— As-tu le coffret ? demanda Agnès dès que son fils eut quitté la chambre.

— Oui ! la rassura Sibylle.

— Eh bien, il est temps de l'ouvrir…

5

Les mains tremblantes, Sibylle fit glisser le ruban bleu au-dessus de sa tête; elle tourna quelques secondes la petite clé entre ses doigts.

— Savez-vous ce que contient le coffret, mère?

— Non. Un ami me l'a remis il y a quelques années, en me faisant promettre de ne pas l'ouvrir du vivant de ton père.

— Et la clé? Pourquoi me l'avoir confiée?

— Pour éviter la tentation, ma fille! Amauri m'a demandé de te remettre le coffret en temps voulu, mais je craignais de succomber à la curiosité.

— Amauri? s'étonna Sibylle.

Bien entendu, son père n'était pas le seul à porter ce prénom plutôt commun pour l'époque. À l'abbaye, Sibylle avait eu vent de certaines rumeurs concernant sa mère. Les voyageurs, surtout les troubadours et les bateleurs, parlaient beaucoup trop et souvent plus fort qu'ils ne l'auraient dû. On disait qu'Agnès avait un amant, Amauri de Lusignan, et même qu'elle avait réussi à lui faire octroyer par son ancien époux, quelques semaines plus tôt, la charge de la maison du roi et des serviteurs, avec le titre de chambellan de Jérusalem.

Était-ce pour se faire pardonner de l'avoir répudiée que son père avait accepté de favoriser ainsi l'amant de sa femme, cet autre Amauri dont sa mère parlait ? À moins que ce ne soit pour les maintenir à distance, elle et ses intrigues ?

Sibylle sourit. L'habileté d'Agnès était notoire ; elle venait encore une fois d'en avoir la preuve.

La jeune fille glissa la petite clé dans la fermeture et la fit tourner. Son cœur battait la chamade. Quelle merveille pouvait contenir cette boîte pour que même les Sarrasins tentent de se l'approprier ? Une rareté de grande valeur, assurément. Elle rabattit le couvercle, et resta bouche bée.

Au fond de la boîte tapissée de soie bleu outremer reposaient un anneau et un parchemin. Rien de plus. La déception plissa le front de Sibylle. Mais la curiosité étant trop forte, elle déroula le vélin avec précaution. La peau de veau mort-né, préparée spécialement pour l'écriture et l'illustration, était plus lisse et plus fine que le parchemin ordinaire. Elle ne portait aucune inscription manuscrite, seulement une illustration : celle d'une femme-serpent, qu'elle reconnut sans peine pour l'avoir observée tout à son aise et sous tous ses angles sur le sol de mosaïque de l'abbaye Saint-Lazare.

— Mélusine ! s'écria-t-elle.

La gravure représentait la fée entourée de dix jeunes garçons. À première vue, il s'agissait d'un arbre généalogique, car les bustes des jouvenceaux étaient reliés entre eux par des rubans, des entrelacs et des feuilles d'acanthe. Au centre se trouvait une bannière portant la devise « *A la fae*[1] ». Sous la queue serpentine de Mélusine était dessinée une fontaine d'où la femme-serpent semblait émerger et sur sa droite, se trouvait un château.

Sibylle fit la moue, tourna et retourna le vélin entre ses doigts, mais ne vit rien d'autre. Elle haussa les épaules et se désintéressa de la gravure pour examiner l'anneau. Il s'agissait d'un anel tout simple, en or, sans gravure ni à l'intérieur ni à l'extérieur. Pourquoi Amauri de Lusignan lui avait-il fait ce présent ?

Pendant qu'elle s'interrogeait, Agnès avait examiné le parchemin à son tour, s'attardant sur chacun des personnages qui y étaient représentés.

— Sibylle ! cria-t-elle brusquement. Là, là !

Elle tendit le manuscrit à sa fille, en gardant le doigt sur l'un des personnages, situé à gauche de la fée. Sibylle s'intéressa à l'endroit désigné par sa mère en fronçant les sourcils : le jouvenceau tenait à la main une grande fourchette à deux dents, un ustensile tout à fait inutile dans les circonstances, puisque la gravure ne montrait nullement une scène de banquet.

— Je ne comprends pas ce que cela signifie ! soupira la jeune fille.

---

1. À la fée.

— Je crois que je le sais ! fit Agnès. Amauri m'a parlé de son ancêtre Hugues dit le Diable, sire de Lusignan en Poitou. Les croyances populaires ne racontent-elles pas que la fourchette représente la queue du diable ?

— Amauri voudrait donc attirer notre attention sur cet ancêtre ? Mais pourquoi tant de mystère ? Ne vous en a-t-il pas parlé de vive voix ? Pourquoi me donner ce coffret... à moi ? Et pour quelle raison les Maures voulaient-ils s'emparer de cet indice qui, à mon avis, ne peut leur être d'aucune utilité ?

— Beaucoup de questions, ma fille, mais je n'ai malheureusement pas de réponses à t'offrir.

— Il faudrait que vous interrogiez Amauri, suggéra la princesse.

— Ce n'est ni le bon moment, ni l'endroit, Sibylle ! Le roi vient de mourir, les barons ne m'aiment pas et me surveillent, surtout Raimond de Tripoli qui ferait n'importe quoi pour me perdre. Je dois être prudente.

— Mais... oh, mère ! Je vous ai rapidement entretenu de l'embuscade sur le mont des Oliviers, mais tout à coup, il me revient un élément étrange que j'ai remarqué pendant l'attaque. Avec les récents événements, je l'avais presque oublié. Le chef des Bédouins avait des yeux bleus... d'un bleu très pâle. Je n'ai jamais vu de Sarrasins ayant cette couleur d'yeux.

Agnès ne répondit pas tout de suite. Elle réfléchissait. Puis, elle déclara, en reprenant son ouvrage de tapisserie interrompu pendant la conversation :

— Effectivement, ce détail est curieux... Il faudra demeurer sur nos gardes, car ici même à Jérusalem, plusieurs ne voient pas d'un bon œil notre retour au palais.

Se tournant vers Rosemonde, elle ordonna du ton sec qu'elle employait toujours avec les serviteurs :

— Allume deux cires de plus !

Quatre jours plus tard, Baudouin fut couronné roi, comme prévu. Et Milon de Plancy, sans prendre l'avis des barons, s'octroya la régence en attendant la majorité de l'enfant. Il promit toutefois de convoquer une réunion de tous les membres de la Haute Cour le plus vite possible afin d'obtenir leur accord, même après les faits.

À la fin du mois de juillet, plusieurs nobles, ne voyant rien venir, s'impatientèrent et retournèrent dans leurs terres, notamment Raimond de Tripoli.

— Mère ! Il y a des bruits qui commencent à circuler au sujet du sénéchal, déclara Sibylle un soir.

La jeune fille se tenait auprès de sa mère dans la grande pièce où elles passaient leurs longues soirées à lire, à faire de la tapisserie, mais surtout à se raconter les plus récentes nouvelles concernant les affrontements et les escarmouches avec les Sarrasins aux quatre coins du royaume latin.

— Certains disent qu'il tente d'écarter mon frère et de prendre la couronne. On murmure même que c'est vous qui manigancez tout cela.

— Balivernes ! éclata Agnès. Ah, on voit bien que mes ennemis veulent dresser mon fils contre moi, comme ils l'ont fait avec son père. Je suis sûre que Raimond de Tripoli est à l'origine de ces rumeurs. Laissons cela et changeons-nous les idées !

D'un mouvement altier, Agnès se tourna vers sa dame de compagnie, Galiotte d'Irfoy.

— Racontez-nous encore cette légende de votre pays, dame d'Irfoy. Celle de Mélusine.

Sibylle sourcilla en entendant le nom de la fée, se demandant pourquoi sa mère voulait entendre ce récit. Y cherchait-elle quelque indice relatif à l'anneau et au parchemin ?

Machinalement, Sibylle se mit à jouer avec l'anel, trop large pour son doigt, qu'elle avait glissé sur le ruban bleu à la place de la clé, et qu'elle portait autour du cou. Enfin, elle allait connaître à son tour cette histoire que sa grand-tante Ivète ne lui avait jamais contée, malgré ses demandes répétées.

Pour s'éclaircir la gorge et, peut-être aussi les idées, Galiotte d'Irfoy se servit une coupe de claret dont la belle couleur rose scintilla à la lumière des chandelles. Après en avoir fait rouler quelques gouttes dans son gosier, elle commença son histoire.

Il y a longtemps, très longtemps, à l'époque où les géants, les fées et les hommes se partageaient le monde et vivaient dans l'harmonie, en Albanie, était un noble et preux chevalier qui s'appelait Élinas. D'un premier mariage, il avait eu un fils, appelé Nathas, mais pour le moment, ce n'est pas à lui que nous nous intéresserons.*

Un jour, plusieurs mois après la mort de sa tendre et chère épouse, le roi Élinas, triste et solitaire, se rendit à la chasse, dans une forêt de son domaine, tout près de la mer. Là, il y avait une jolie fontaine où il décida de prendre un peu de repos et de se désaltérer après avoir chassé tout le jour. Le roi chevaucha vers l'endroit quand, tout à coup, il entendit une voix claire et pure qui chantait. Surpris, il descendit de sa monture et s'approcha tout doucement, profitant des arbres pour se faufiler sans être vu. Et il découvrit là une magnifique jeune femme, la plus belle qu'il n'avait jamais vue. Son cœur sauta dans sa poitrine et s'emballa. Caché derrière le tronc d'un vieux chêne, il l'écoutait avec ravissement, tant et si bien qu'il en oublia la chasse, et surtout que la nuit allait bientôt tomber et qu'il était loin de son palais. Élinas perdit conscience de tout: du temps qui passait, du vent qui se levait, des feuilles qui bruissaient. Tout à coup, ses deux lévriers arrivèrent et se jetèrent joyeusement sur lui, le ramenant à la réalité. Élinas, qui avait très soif, décida de se rendre à la fontaine pour boire. Il s'approcha, prit l'écuelle posée sur une pierre près de la source, et but pour étancher sa soif. Puis il salua la belle qui avait cessé de chanter.

— Bonjour, gente dame! Ce pays m'appartient et il n'existe aucune forteresse ou château à la ronde dont je ne connaisse les seigneurs et les dames. Pardonnez-moi de vous interroger, mais seriez-vous égarée? Vous voilà seule, au milieu des bois, sans garde ni compagnie.

— Sire chevalier, merci de vous intéresser à mon sort. Je me nomme Pressine et sachez que je ne serai pas seule bien longtemps.

Elle avait à peine prononcé ces mots qu'un valet surgit tenant un magnifique cheval. Élinas sursauta, car il ne l'avait pas entendu venir et se demanda où était caché ce serviteur magnifiquement vêtu. Il ne reconnaissait ni les couleurs ni le blason qu'il portait sur ses vêtements. Assurément, la belle dame était étrangère.

— Madame, il est temps de partir! dit le valet.

— Je viens!

Se tournant vers Élinas, elle ajouta:

— Sire chevalier, je vous souhaite bonne vie. Et merci de votre courtoisie.

Elle salua le roi qui l'aida à monter sur son coursier. Puis elle s'éloigna en compagnie de son valet.

À cet instant, les veneurs* qui dirigeaient les chiens de chasse arrivèrent près de la fontaine pour s'y désaltérer à leur tour. Songeur, Élinas leur accorda peu d'attention.

— Retournez au palais, leur ordonna-t-il brusquement, en sautant sur sa monture à laquelle il fit prendre la même direction que celle empruntée par la belle dame quelques minutes plus tôt.

Il finit par retrouver la mystérieuse étrangère dans une clairière, au milieu de grands arbres. L'endroit semblait hors du temps, il y faisait doux et l'air, au contraire de celui d'une forêt ordinaire, ne dégageait aucune odeur d'humidité, de bois et de champignons en décomposition, mais embaumait plutôt de subtils parfums floraux.

La dame était descendue de cheval et le roi en fit autant. Il s'approcha, brûlant d'amour.

— Roi Élinas, que se passe-t-il? Aurais-je par mégarde emporté quelque chose qui vous appartient?

Le roi fut très surpris de s'entendre appeler par son nom, car il ne l'avait pas mentionné près de la fontaine.

— Dame, vous êtes partie en emportant mon bien le plus précieux...

Pressine lui sourit; elle connaissait déjà la suite.

— ... vous avez emporté mon cœur.

— J'en suis sincèrement désolée! Mais maintenant, roi Élinas, je dois partir.

— Je vous en prie...

— Que voulez-vous, seigneur?

— Rien de plus que votre amour...

— Jamais un homme ne se vantera d'avoir obtenu mon amour de façon déloyale...

— Il n'est pas question que je vous force! s'insurgea Élinas.

— Si vous voulez que je vous épouse, il faudra me faire une promesse! reprit la dame.

— Tout ce que vous voudrez!

— Promettez-moi de ne jamais chercher à me voir, en aucune façon, durant mes accouchements et la journée suivante. Et dès lors, oui, je serai votre épouse.

Élinas jura, et épousa donc la belle dame.

Mais Nathas, le fils aîné du roi, ne l'aimait pas du tout...

Un jour qu'Élinas était parti à la chasse, Pressine mit au monde trois filles qu'elle appela Mélusine, Mélior et Palatine. Nathas l'avait espionnée, caché derrière un paravent dans la chambre. Il courut avertir son père de la naissance des bébés.

— Venez, venez vite, mon père! l'appela-t-il. Vos filles sont nées.

— J'arrive, mon fils! s'écria Élinas, qui avait oublié la promesse faite dans la clairière.

Il se précipita dans le château et ouvrit la porte de la chambre royale à la volée. Pressine était en train de laver les nouvelles-nées.

— Que Dieu vous bénisse, ma femme et mes filles!

Pressine poussa un cri horrible.

— Tu as trahi ta parole, roi fourbe. Tu m'as perdue et tu perds aussi tes filles.

À la minute même, un tourbillon de vent et de brouillard vint enlever purement et simplement la reine et ses enfançonnes du palais. Fou de douleur, Élinas ne sut que dire ni que faire.

Pendant sept ans, le roi parcourut toute l'Albanie à la recherche de sa famille, se plaignant, gémissant, soupirant, se lamentant, pleurant toutes les larmes de son corps. Les barons, le jugeant fou et inapte à diriger le pays, remirent le royaume entre les mains de son fils, Nathas.

Celui-ci, pris de remords, traita bien son père, l'entourant de soin et d'amour...

La porte s'ouvrit et Baudouin entra dans la pièce.

— Mère, j'ai une triste nouvelle à vous apprendre ! déclara le nouveau roi, sur un ton dramatique.

— Que se passe-t-il ? fit Sibylle, toujours très inquiète pour la santé de son jeune frère.

— Vous savez que le roi de Sicile a envoyé une flotte de deux cents navires et de trente mille hommes vers l'Égypte, pour attaquer Alexandrie. Eh bien, ses officiers ont manqué de prudence. La plus grande partie de ses hommes ont été massacrés ou faits prisonniers. Son armée a dû battre en retraite dans la plus grande déroute.

— Quel malheur ! se lamenta Agnès. Si votre père était de ce monde, il saurait quoi faire. Que vous a conseillé Plancy ?

— Rien. Il dit de ne pas bouger.

— Il y a quelques jours, Amauri de Lusignan m'a informée que votre père savait qu'une partie des Sarrasins avait monté un complot pour se débarrasser de Saladin, leur redoutable chef. Il avait même envoyé des ambassadeurs auprès de ce dernier pour négocier une trêve, mais en réalité, c'était pour entrer en contact avec les comploteurs. Votre père leur avait proposé d'attaquer Le Caire par l'est, afin que les troupes de Saladin se concentrent dans cette direction, sur l'armée franque. Pendant ce temps, les conspirateurs devaient organiser un soulèvement dans la ville, à l'heure même où la flotte sicilienne passerait à l'attaque à Alexandrie. Que s'est-il donc passé pour que ce plan échoue ?

— Plancy a décidé de ne pas s'en mêler. Et il semble que Saladin ait eu vent du complot et ait fait exécuter les conspirateurs...

— Plancy est assurément un idiot, bougonna Agnès. Son indécision le perdra.

— Il est régent du royaume, je ne peux rien décider sans lui... soupira l'adolescent. Si seulement Raimond de Tripoli était venu au conseil, les choses se seraient passées différemment. Mais, assez de nouvelles tristes ! Quelle est cette histoire que vous contait dame d'Irfoy ?

Le jeune lépreux aimait écouter les récits des troubadours, cela le divertissait des affaires politiques, parfois bien lourdes à porter pour de si frêles épaules. Pendant des années son père et son précepteur, Guillaume de Tyr, l'avaient préparé à son futur rôle de roi en l'obligeant à étudier la politique de la région, même si cela lui pesait.

— L'histoire de Mélusine, sire ! répondit Galiotte d'Irfoy, en tendant un verre de claret au jeune homme.

— Oh, j'adore cette légende ! Poursuivez, ma bonne Galiotte !

6

Galiotte continua son récit, racontant comment quinze années plus tôt, par vengeance et par magie, Mélusine et ses sœurs enfermèrent leur père dans la montagne de Brumbelio, en Albanie, et le condamnèrent à vivre dans la misère. Mais surtout, la dame d'Irfoi insista sur la punition que leur fit subir Pressine pour ce geste insensé par lequel les jeunes fées avaient voulu laver l'affront fait à leur mère et à elles-mêmes. Galiotte avait un tel don pour raconter les histoires que tous étaient suspendus à ses lèvres, surtout lorsqu'elle entrait dans les parties dialoguées. On s'y serait cru !

« *Ah, quel malheur ! Qu'avez-vous donc fait, mauvaises filles ! s'indigna Pressine, lorsque Mélusine lui raconta comment elles avaient condamné leur père à la douleur pour le reste de ses jours, que la jeune fée espérait nombreux. Je n'avais que lui et vous me l'avez enlevé. Pour cela, vous serez châtiées. Ne vous ai-je pas assez enseigné que* grâce à votre père, vous auriez pu échapper au mauvais sort qui plane sur les fées et les condamne à la vie éternelle? Mélusine, puisque c'est toi qui as eu l'idée de mettre ton père en prison et qui as entraîné tes sœurs à commettre ce forfait, voici ta punition. Tous les samedis, du nombril jusqu'aux pieds, tu auras le corps d'un serpent. Tu ne pourras échapper à ce sort qui condamne les mauvaises fées que si tu trouves un homme qui accepte de t'épouser et promet de ne jamais te voir la nuit de chaque samedi, lorsque tu prendras ton bain. C'est seulement à cette condition que tu pourras vivre une vie de femme et avoir de nombreux et valeureux descendants. Mais attention! Si ton mari manque à sa parole, tu redeviendras serpent jusqu'à la fin des temps.»

Mélusine baissa la tête. Sa mère était une puissante magicienne; la jeune fée comprit que jamais elle ne reviendrait sur ses paroles. Mélusine devrait assumer les conséquences de ses actes avec courage. Mélior et Palatine furent également punies pour avoir suivi aveuglément leur sœur, sans tenter de s'interposer. La première devrait se rendre dans un château éloigné et veiller pour l'éternité sur un épervier, sans jamais connaître ni l'amour ni le mariage. Quant à la seconde, elle serait enfermée au cœur d'une montagne, pour surveiller le trésor de son père, jusqu'à ce qu'un chevalier, descendant de Mélusine, vienne le lui réclamer pour sauver la Terre des Promesses, le royaume de féerie.

La mère et les filles se séparèrent sans se saluer et ne se revirent jamais. Les années passèrent. Quand Élinas mou-

rut de vieillesse dans sa montagne, Pressine alla chercher son corps et l'ensevelit dans une chambre d'or gardée par elle-même et un géant farouche et horrible.

— Un autre jour, je vous raconterai ce qu'ils sont tous devenus.

— Oui, Galiotte, un autre jour ! Il se fait tard, les cires sont presque rendues au bout de leur mèche. Allons nous mettre au lit, je suis épuisée ! déclara Agnès, en claquant dans ses mains pour indiquer qu'il était temps que chacun regagne sa chambre.

M

Pendant ce temps, dans le dortoir des pages, à l'hostellerie des Hospitaliers, Philémon ne parvenait pas à trouver le sommeil. Dans son esprit, la chevelure blonde qui voltigeait sur les épaules de la princesse, son sourire envoûtant, et les yeux bleus du Bédouin ne cessaient leur ronde obsédante, lui infligeant la pire des nuits depuis son retour de Béthanie.

Toute la journée, maître Géraud lui avait fait exécuter des exercices à l'épée. Et maintenant, l'enfant se tournait et se retournait sur sa couche de paille, incapable de trouver une position confortable, car son corps couvert d'ecchymoses et de bosses le faisait souffrir. Après lui avoir appris à s'occuper des chevaux et à les monter, voilà que son parrain lui avait annoncé qu'il était temps de passer à la pratique du combat.

Dès le lever du jour, l'entraînement avait commencé. Les coups avaient plu sur son bouclier de bois, plus lourd que lui et qu'il avait bien des difficultés à soulever pour parer les attaques. Son dos, ses bras, ses poignets étaient si douloureux qu'après quinze minutes, il ne parvenait tout simplement plus à se protéger. Mais Géraud avait continué à lui asséner des coups avec son épée d'entraînement, heureusement faite de bois, l'envoyant valser sur le sol. À peine était-il relevé, que Philémon retournait manger la poussière de la cour. La sueur lui piquait les yeux et le chaud soleil d'Orient lui brûlait la peau, mais il était hors de question d'abandonner. Tant que son maître ne mettrait pas un terme à l'exercice, il serrerait des dents, mais tiendrait bon.

Pendant près d'une heure, Géraud lui avait décoché des coups avec vigueur. Plus les larmes de fatigue et de souffrance coulaient de ses yeux, plus son maître tapait fort. Lorsqu'il ne fut plus capable de se relever après s'être retrouvé une fois encore le nez dans le sable, son parrain cessa la séance. Il lui avait toutefois rappelé qu'ils recommenceraient le lendemain, le surlendemain, et tous les jours à venir, jusqu'à ce que Philémon soit prêt à manier une véritable épée et à combattre.

Mais après l'exercice, pas question pour l'enfant de se reposer. Il avait dû vaquer aux tâches domestiques dévolues aux pages de l'hostellerie, c'est-à-dire aller chercher de l'eau pour l'hygiène des malades et des blessés, servir les repas des pauvres, nettoyer les salles, changer la paille des lits et des sols; pendant des heures les corvées s'étaient succédé. Au coucher du soleil, il était si épuisé qu'il avait eu des difficultés à terminer le contenu de son écuelle : une purée de pois chiche à la mode arabe. Depuis, le sommeil tardait à venir. Son esprit passait en revue les événements des derniers jours. En repensant au couronnement du jeune roi, il en était tout naturellement venu à songer à la princesse Sibylle, et à leur mauvaise rencontre dans le désert. Maintenant, les yeux bleus le fixaient méchamment derrière ses paupières closes.

Des paillasses occupées par d'autres pages montaient des ronflements, des raclements de gorge, des reniflements, des flatulences bruyantes et nauséabondes, autant de bruits humains qui ne favorisaient pas le sommeil du garçon.

N'y tenant plus, Philémon se leva en grimaçant, tant il était courbaturé. Comme il dormait tout habillé, c'est-à-dire avec ses braies* et son bliaut*, il n'eut qu'à enfiler ses souliers de peau tannée pour être prêt. Il se faufila sans bruit hors du dortoir, traversa la salle de l'hospital, sans s'occuper des râlements et des gémissements des blessés et des mourants ; les moines et les nonnes qui veillaient à leur chevet ne lui adressèrent pas un regard.

Le garçon franchit la porte de l'hostellerie et se retrouva dans les rues endormies de Jérusalem. Il errait sans destination précise. Il voulait simplement se promener un peu, s'aérer l'esprit quelques minutes, avant de retourner se coucher. Lorsque le soleil se lèverait, il devrait être frais et dispos, car maître Géraud lui donnerait sa deuxième leçon d'escrime. Il soupira en y songeant. Il avait tellement mal qu'il lui était difficile de mettre un pas devant l'autre ; la nouvelle leçon serait atroce.

Philémon se traîna au hasard des rues, dépassa la basilique du Saint-Sépulcre sans croiser personne, hormis une bande de rats qui détala à son approche. Les sentinelles patrouillaient autour du Temple et le long des remparts. Il décida de ne pas s'approcher de ces endroits pour éviter d'être atteint par une flèche ou un carreau d'arbalète tiré par un garde trop nerveux.

La nuit, les bruits portaient plus loin que le jour. De poste en poste, les voix des gardes signalant que tout était calme résonnaient à intervalles réguliers. Il entendit aussi des chevaux remuer dans leurs étables et des dromadaires blatérer. Philémon s'approchait de l'ancien quartier juif, où vivaient encore une cinquantaine de marchands de cette religion, et allait revenir vers l'hostellerie, lorsqu'il surprit un son incongru, une sorte de frôlement. Il s'arrêta et tendit l'oreille. Brusquement, il comprit que c'étaient des bruits de pas ; quelqu'un venait dans sa direction ! En se concentrant, il détermina qu'il y avait au moins deux personnes dans la ruelle devant lui. Il se jeta derrière un haut mur à moitié écroulé et resta aux aguets. D'abord, il ne perçut que des chuchotements, puis, au fur et à mesure que les deux hommes, enveloppés dans des manteaux sombres, s'approchaient, il discerna mieux les propos qu'ils échangeaient.

— J'espère que cette fois, tu ne rateras pas ton coup, Arnulf. La garce* le porte sur elle, je l'ai vu.

Un grognement suivit ces paroles.

— Je saurai te récompenser largement. Mais si tu échoues...

Celui qui venait de parler porta son pouce à sa gorge et fit un large mouvement du bras de droite à gauche, en ajoutant, comme si cela n'était pas assez compréhensible, un couic bien sonore.

Philémon frissonna malgré la douceur de la nuit. Cette voix ne lui était pas inconnue, pourtant il n'arrivait pas à l'identifier. Il reconnut toutefois l'accent. L'homme était un poulain, donc natif de l'Orient et non un croisé fraîchement débarqué des royaumes de France, de Sicile ou du Saint-Empire romain germanique. Il parlait avec facilité la langue franque, c'est-à-dire un mélange de français, de provençal, d'italien, de catalan, le tout épicé d'arabe, d'hébreu et de patois local. Quant au dénommé Arnulf, nul doute qu'avec un nom de ce genre, il était originaire de l'empire de Frédéric Barberousse ou était d'ascendance germanique.

Philémon se rencogna lorsque les deux hommes passèrent devant lui. Il les laissa le distancer, puis les suivit. Comme il s'y attendait, ils se dirigeaient vers l'église Sainte-Marie-des-Teutoniques, où se trouvait également un hospice qui recueillait les pèlerins du Saint-Empire germanique.

Ils s'arrêtèrent une fois encore pour échanger quelques propos. Ne décelant aucune cachette à proximité, l'enfant jugea plus prudent de ne pas s'approcher. Enfin, l'un des deux s'éloigna en direction du quartier arménien. Philémon hésita à le suivre, même s'il voulait en apprendre plus sur son identité. L'homme disparut dans l'obscurité. Abandonnant toute prudence, le page se précipita à sa suite. Dans sa trop grande hâte, il n'avait pas pris garde à Arnulf qui n'était pas rentré dans l'hospice, mais se tenait dans un renfoncement du bâtiment, comme s'il guettait quelque chose. Philémon le percuta de plein fouet quand le Teuton* jaillit devant lui au milieu de la ruelle.

— Halte-là, manant! cria l'homme en le saisissant par le col.

Le Germanique de forte carrure et d'une très grande force le souleva de terre et le hissa à la hauteur de son visage. Un hurlement jaillit de la gorge de Philémon lorsque son regard sombre croisa les yeux bleu pâle qui hantaient ses cauchemars. Il se mit à trembler de tous ses membres. Même si la poigne d'Arnulf s'était refermée sur l'une de ses ecchymoses les plus douloureuses, sa frayeur était plus aiguë que sa douleur.

— Vas-tu te taire? fit Arnulf, en lui plaquant une large main sur la bouche. Que fais-tu ici, vermisseau?

Philémon avala rapidement sa salive; il lui fallait trouver une explication et surtout qu'elle soit convaincante. L'homme le secoua puis retira sa main.

— Je viens chercher le moine Hildebert, bredouilla faiblement le jeune page. Je suis au service de l'hospice Saint-Jean. Nous avons besoin d'aide pour traiter un pèlerin. Frère Ondaric est convaincu que frère Hildebert saura quoi faire.

Pendant des secondes qui lui parurent une éternité, Arnulf le dévisagea avec intensité. Le garçon ne se débattait plus, car il avait bien compris que cela ne servirait à rien. Les terribles yeux bleus lui donnaient la chair de poule.

Finalement, le Teuton jeta Philémon sur le sol, puis poussa la porte de l'hospice, en lui faisant un signe autoritaire de la tête pour lui signifier d'entrer.

Philémon comprit qu'il n'avait plus le choix. Il ne pouvait pas se jeter dans la gueule du loup. Au contraire, il devait détaler à toutes jambes, en priant pour que sa fuite soit suffisamment surprenante pour que l'Allemand perde de précieuses secondes avant de s'élancer à sa poursuite.

Il rassembla tout son courage et se releva péniblement – il avait tellement mal dans tous ses membres –, puis il inspira profondément et se détendit comme la corde d'un arc. Philémon courut, courut, courut à perdre haleine, ne cherchant pas à savoir si Arnulf le poursuivait ou non. Il ne pensait plus ; la peur le transportait. Il ne sentait pas ses pieds qui s'étaient mis à saigner, car ses souliers, trop fins, se déchiraient sur les pavés inégaux des rues.

Une quinzaine de minutes plus tard, Philémon bouscula le moine portier de l'hospice Saint-Jean sans un mot, traversa la salle des malades comme une flèche, se précipita dans le dortoir où ses compagnons ronflaient encore et se jeta à plat ventre sur sa paillasse, enfouissant son visage dans la toile rêche et puante qui lui servait de drap. Il crut que son cœur allait sortir de sa poitrine, tellement sa course effrénée avait fait augmenter son rythme cardiaque. Les yeux bleus d'Arnulf l'obsédaient. Il avait l'impression qu'ils étaient là, incrustés entre ses omoplates.

Sentant une présence derrière lui, ses cheveux se dressèrent sur sa nuque. Le garçon n'osa pas se retourner. Une main se plaqua sur une de ses épaules et l'obligea à pivoter. À la lumière d'un cierge, il découvrit, terrifié, le visage juvénile du novice responsable des enfants pèlerins de l'hospice. Toute sa tension se relâchant d'un coup, Philémon perçut un liquide chaud lui couler sur les jambes. Il se sentit honteux. Mais le novice ne sembla rien remarquer.

— Ça va, Philémon ? demanda-t-il.

— Oui. J'ai fait un cauchemar, murmura le page, en souhaitant que l'odeur de sa pisse n'alerte pas le moinillon.

— Tu te déplaces en dormant ! s'effraya le novice en se signant. Je t'ai vu ! Je vais prévenir frère Ondaric.

Philémon fit la grimace. Le jeune moine ne devait pas croire qu'il était somnambule, donc possédé par le démon, sinon il serait fichu. La rumeur se répandrait vite et il devrait quitter l'hospice. Avec un peu de chance, il pourrait sortir de Jérusalem, mais plus certainement, on le mettrait à mort. Il devait à tout prix le convaincre que le diable n'avait rien à voir avec sa folle galopade à travers l'hospital. Tant pis pour la honte…

— J'ai fait pipi au lit… souffla-t-il très bas, au cas où l'un de ses compagnons de dortoir tendrait l'oreille. J'ai couru aux latrines, mais il était trop tard.

Voilà qui n'était pas tout à fait un mensonge. Il indiqua l'endroit souillé au moineton. Celui-ci sentant le drap humide sous ses doigts, hocha la tête et déclara en quittant le dortoir :

— Rendors-toi, le soleil se lève dans deux heures !

7

Dès le lever du jour, Philémon se rendit dans la cour d'entraînement où l'attendait son maître. Et la leçon commença, plus terrible encore, lui sembla-t-il, que celle de la veille. En moins de cinq minutes, il fut à bout de souffle, en sueur, incapable de manier son épée de bois pour effectuer les feintes et les attaques que Géraud lui avait enseignées le jour précédent. Il était tout simplement épuisé.

Son parrain s'impatienta et les coups redoublèrent de vigueur. Mais tout à coup, Philémon, qui ne put lever son bouclier à temps, sentit l'arme de bois lui toucher la tempe et il tomba évanoui.

Soudain, il se mit à suffoquer comme s'il allait se noyer, puis ouvrit les yeux. Le garçon vit maître Géraud qui tenait un seau de bois à la main, et comprit qu'il lui en avait jeté le contenu au visage. Il recracha un peu d'eau et se releva en titubant. Son épée pendait au bout de son bras.

Maître Géraud affichait un air plus abattu que furieux. Il largua le seau au loin et son épée suivit le même chemin.

— Ça suffit pour aujourd'hui ! Nous reprendrons demain !

L'enfant hocha la tête, à la fois soulagé et déçu. Il aurait tellement voulu faire plaisir à son parrain. La veille, Géraud lui avait dit qu'il avait de grandes qualités physiques et mentales, et qu'il deviendrait sûrement un excellent chevalier s'il s'exerçait sérieusement ; mais aujourd'hui il se sentait comme une loque, un moins que rien. Il retint ses larmes, ramassa le seau et l'épée de son maître et les rangea dans un recoin où était entreposé tout l'équipement d'entraînement des pages.

Penaud, Philémon rentra dans l'hostellerie à pas lents.

M

— Ah, te voilà, toi ! l'apostropha frère Ondaric en fonçant vers lui. Va porter ces simples* au palais royal. Allez, dépêche-toi ! À remettre en mains propres à dame Agnès ou à son médecin, et à personne d'autre, tu m'as bien compris ? Au retour, tu t'arrêteras au Marché latin. Chez le volailler, tu passeras commande de quatre oies et de trois douzaines d'œufs pour demain ; chez le fromager, tu lui demanderas une belle grosse meule de fromage de lait de brebis pour demain aussi. Et pour terminer, chez le poissonnier, tu achèteras soixante poissons que tu me rapporteras. Tu as saisi ?

Philémon hocha la tête. Ondaric lui tendit un panier d'osier rempli d'herbes médicinales et le poussa dans le dos, en direction de la porte, comme si cela pouvait faire arriver l'enfant plus vite à la Citadelle.

Le jeune page se demanda pourquoi le moine n'allait pas porter cette corbeille lui-même, puisqu'il était facile pour les religieux d'entrer au palais, contrairement à lui qui n'était encore jamais allé dans les appartements royaux. Mais il n'avait pas à discuter les ordres, et fit donc ce qu'on lui demandait.

Sans entrain, il quitta l'hostellerie. Devant lui s'ouvraient trois rues parallèles voûtées qui traversaient le quartier du Marché latin ; il y avait d'abord la rue aux Herbes, puis au centre, la rue Couverte et à l'est, la rue Malcuisinat qui devait son nom aux gargotes* destinées aux pèlerins. Il se faufila sous les voûtes de la rue aux Herbes, là où s'installaient les vendeurs de fruits et légumes, les marchands d'herbes médicinales et culinaires, et enfin ceux qui faisaient commerce d'épices. Il savoura à pleines narines les odeurs qui avaient imprégné chaque pierre de cette rue. Les cloches des églises venaient de sonner prime* ; tous les commerçants ouvraient boutique pour sept heures. Il se laissa envahir par les langues et dialectes des marchands venus d'Orient qui y côtoyaient les apothicaires arabes, juifs ou chrétiens. C'était un joyeux brouhaha dont il ne se lassait pas.

Après une dizaine de minutes de marche, Philémon arriva devant la tour ronde de David, érigée à l'endroit même où celui-ci aurait vaincu Goliath, le géant. La tour s'élevait à une quarantaine de pieds au-dessus de la ville. Il la longea jusqu'à la porte percée dans l'enceinte de la forteresse royale. Les gardes ne lui accordèrent qu'un coup d'œil, et il put entrer sans problème. Dans la cour, il demanda son chemin à des commis bouchers qui s'affairaient à égorger les animaux devant être servis à la famille royale et aux barons présents dans la Citadelle ce jour-là.

— Ce page va te guider ! lui appris un commis.

D'une main experte, l'apprenti trancha le cou d'une oie, tout en faisant un signe de tête vers un garçon d'une dizaine d'années qui traversait la cour. Philémon lui emboîta le pas.

— Je dois voir le médecin de dame Agnès, fit-il, n'osant pas demander à voir la mère du roi en personne.

— Yâsîn t'attend !

— Comment ? Un médecin arabe ? Il m'attend ?

Le page se moqua.

— Ne t'en fais pas ! Il n'y a aucune magie là-dessous. Yâsîn a demandé à frère Ondaric de lui fournir certaines plantes que les moines font pousser dans le jardin de l'hostellerie. L'Hospitalier lui a dit qu'un valet viendrait ce matin, et il m'a envoyé à ta rencontre.

— Pourquoi veut-il les plantes du jardin de l'hostellerie ? Ce Yâsîn doit posséder ses propres remèdes.

— Évidemment. Mais c'est le roi qui l'a ordonné. Je crois que Baudouin craint l'empoisonnement, ajouta le page sur le ton de la confidence. Il fait plus confiance aux Hospitaliers qu'à certains médecins de Jérusalem. Il y a des espions et des traîtres partout.

Philémon secoua la tête. Il était bien placé pour savoir que le jeune garçon disait vrai. Il n'avait qu'à penser aux comploteurs qu'il avait surpris pendant la nuit.

Philémon était impressionné par la disposition du palais royal, ses hautes tours, ses lourds remparts, et se sentait écrasé par l'aspect fortifié de la Citadelle. Il se demanda où la princesse Sibylle logeait et il espéra l'apercevoir, ne serait-ce qu'un instant. Les deux enfants entrèrent dans le palais. Dans les couloirs et les pièces qu'ils traversaient, ils croisèrent plusieurs chevaliers, mais ceux-ci ne semblaient pas les voir, trop absorbés par leur discussion. Puis ils pénétrèrent dans une très longue salle, aux murs de pierre nus et froids, que le page lui désigna comme étant celle où les nobles du royaume devaient patienter avant d'être reçus par le roi ou le régent. Plusieurs personnes attendaient déjà.

Tout à coup, Philémon se figea.

« Cette voix, je la connais ! songea-t-il. C'est celle du chevalier qui discutait avec Arnulf le Teuton, cette nuit… »

Son regard scruta l'assemblée, au sein de laquelle il reconnut Eudes de Saint-Amand, le grand maître des Templiers qui, en plus de la croix rouge templière, arborait ce jour-là ses propres couleurs, le blanc et le vert. L'homme était arrogant et méchant, mais aussi courageux et loyal, et la voix qui hantait la mémoire de Philémon n'appartenait pas au chevalier du Temple.

Parmi les barons et les nobles se promenaient des Hospitaliers, des chevaliers du Temple, ainsi que des moines et des soldats teutons. Soudain un fluide glacial glissa le long de la colonne vertébrale de Philémon. Parmi ce dernier groupe, il rencontra les yeux bleus d'Arnulf. Le Teuton le dévisageait en découvrant ses dents dans un sourire carnassier. Près de lui se tenait un homme barbu, d'une taille impressionnante, vêtu de rouge et de jaune.

« Le comte ! se dit Philémon. Seigneur, ayez pitié de moi. La voix de cette nuit était donc celle de Raimond de Tripoli. »

Terrorisé, il fut incapable de maîtriser ses tremblements et renversa le panier d'herbes fraîches sur les dalles de pierre.

— Qu'est-ce qui se passe ? l'interrogea le page.

— Rien. Aide-moi !

Aidé du jeune serviteur, il se hâta de tout remettre en place, puis il traversa la salle en rentrant la tête dans les épaules, comme si cela pouvait le protéger du regard assassin d'Arnulf.

« Il faut que je prévienne la princesse Sibylle, se dit-il. Je suis sûr que c'est d'elle dont ils parlaient la nuit dernière. Ils complotent pour lui prendre le contenu du coffret. Je me demande bien ce que c'est ? »

Les deux enfants enfilèrent un couloir sombre et arrivèrent devant une grosse porte bardée de fer qui était entrebâillée.

— C'est ici ! déclara le page.

Il poussa le battant et s'écarta pour laisser passer Philémon. Yâsîn était occupé derrière un établi sur lequel reposaient plusieurs fioles d'où s'échappaient des odeurs épicées.

— Ha ! fit le médecin arabe. Pose tout ça sur la table.

Le médecin s'approcha du panier, examina les plantes avec minutie, puis hocha la tête.

— Très bien. J'ai tout ce qu'il me faut !

Il jeta quelques plantes dans un mortier de pierre et se mit à écraser le tout avec un pilon.

Les deux garçons sortirent en refermant la lourde porte. Lorsque le page voulut l'entraîner sur le même chemin qu'à l'aller, Philémon le retint par une manche de son bliaut.

— Conduis-moi à la princesse Sibylle !

— Quoi ? Mais ce n'est pas possible…

— C'est important ! Il en va de sa vie… insista Philémon, en fixant le page droit dans les yeux.

— Et de la mienne si quelqu'un apprend que j'ai introduit un étranger dans les appartements royaux.

— Je te jure que la princesse te récompensera dès que je lui aurai délivré mon message, poursuivit Philémon, en jetant des coups d'œil anxieux derrière lui.

Il craignait de voir surgir Raimond de Tripoli ou pire, Arnulf.

Le page secoua la tête.

— Je n'aime pas ça, je n'aime pas ça, je n'aime…

— Dépêche-toi ! le pressa Philémon qui venait d'entendre un bruit de pas dans le couloir.

Le page lui indiqua un corridor qui s'ouvrait un peu plus loin.

— C'est par là !

Philémon le saisit pas la main et l'obligea à courir.

L'intérieur du palais était un véritable labyrinthe de plusieurs étages, et Philémon fut très heureux d'avoir quelqu'un pour le guider. Seul, il se serait perdu à coup sûr. Ils s'engouffrèrent l'un à la suite de l'autre dans un escalier en colimaçon aux marches étroites, qui ne pouvait livrer passage qu'à une seule personne à la fois. Ainsi, en cas d'attaque, il était plus facile de défendre l'accès aux appartements réservés à la famille régnante, situés au dernier étage d'une tour où elle pouvait se retrancher en cas de besoin.

— Il y a deux gardes... lâcha le page, essoufflé, au terme de la montée.

— Ils te connaissent ? demanda Philémon.

— Oui... normalement !

— Parfait. Tu n'as qu'à leur dire que je suis un messager envoyé par les Hospitaliers.

Les garçons gravirent les dernières marches et arrivèrent sur le palier où les deux gardes se promenaient.

— Qui va là ? demanda l'un d'eux, en brandissant son épée.

— Un messager pour dame Sibylle ! déclara le page, en désignant Philémon.

Les gardes dévisagèrent les enfants. Ils leur parurent inoffensifs, mais il était hors de question d'introduire un étranger dans la chambre de la princesse sans escorte.

— Suis-moi ! l'enjoignit le garde. Toi, tu attends ici, ajouta-t-il à l'intention du page.

Le soldat se dirigea vers une porte qui ressemblait à toutes les autres. Il l'ouvrit et entra le premier.

— Un courrier pour dame Sibylle ! annonça-t-il, avant de s'effacer pour laisser passer Philémon.

— Toi ? se surprit Rosemonde, en reconnaissant celui qui les avait accompagnés de l'abbaye jusqu'à Jérusalem.

Sur un signe de tête du roi Baudouin, le garde s'esquiva en refermant la porte derrière lui.

Philémon avait été introduit dans la salle qui servait de pièce commune à la famille royale. Il fut ébahi de découvrir que le jeune roi était présent, ainsi que dame Agnès, mais aussi sa propre tante, Galiotte d'Irfoy. Et puis, ses yeux s'arrêtèrent sur la princesse Sibylle qui lui tournait le dos, accoudée à une fenêtre. Sa gorge se serra. Il ne savait plus quoi dire. Accuser sans preuve était très grave. Il se rendit compte qu'il n'avait rien pour étayer sa déclaration. Des yeux bleus et une bribe de conversation, ce n'était pas suffisant.

— Je te connais ! s'exclama Sibylle, en se retournant pour dévisager Philémon.

— Oui, princesse ! Je… j'étais avec frère Ondaric sur… sur le mont des Oliviers quand…

— Mais oui, bien sûr ! l'interrompit la jeune fille. Approche ! Dame d'Irfoy m'a appris que son fils Grégoire était parmi nos sauveurs, et je crois que vous êtes apparentés…

— C'est mon neveu, princesse ! intervint la dame de compagnie. Le fils de ma défunte sœur cadette, Helvis.

— Oh ! ajouta dame Agnès. Voici donc le jeune bast* de Manassès de Hierges.

— Je ne suis pas un bâtard, se renfrogna Philémon. Mais son fils naturel.

— Si tu veux. Tu transmettras mes salutations à ton père, jeune homme.

— Mon père est retourné dans le royaume de France bien avant ma naissance, dame Agnès. Je suis né à Hierges, sur nos terres ancestrales, et je ne crois pas y ret…

— Très bien, très bien. Tu me raconteras tout cela une autre fois ! Tu as un message paraît-il, donne-le-moi !

Philémon se racla la gorge.

— Ce n'est pas un message écrit, madame ! C'est… euh, je dois… euh… c'est parce que…

— Tu es bien empoté, mon garçon ! Dis ce que tu as à dire et arrête de nous faire perdre notre temps ! ordonna le roi Baudouin, dont la patience n'était pas la principale qualité.

Ainsi pressé de s'expliquer, Philémon y alla d'une seule traite.

— Eh bien, voilà ! Princesse, lors de l'embuscade, je crois que vous avez vu, comme moi, les yeux du chef des assaillants. Des yeux d'un bleu… très pâle.

Sibylle acquiesça de la tête, sans dire un mot.

— J'ai revu cet homme, cette nuit dans Jérusalem. Je n'arrivais pas à dormir et je suis sorti me promener.

Je l'ai croisé près de l'hospital des moines teutoniques. Il s'appelle Arnulf…

— Un moine teuton ! s'indigna Baudouin.

— Pas exactement, sire. Plutôt un mercenaire. Je viens de le revoir. Je ne sais s'il attend de vous rencontrer ou de parler au régent, mais il est ici, dans le palais royal actuellement.

— Très bien. Nous allons le faire mander au plus vite, fit le jeune roi.

Mais Philémon ajouta :

— Ce n'est pas tout, sire. Il était en compagnie de… de…

Philémon n'osait pas prononcer le nom du complice. Dénoncer un des plus puissants hommes du royaume ne serait pas sans conséquence.

— … de ? l'encouragea le roi. N'aie crainte. Si ce que tu me racontes est vrai, je te protégerai.

Philémon hésitait encore. Le roi lépreux était beaucoup moins puissant que le principal conspirateur. Il tourna la tête vers la princesse Sibylle. Elle était blême et manipulait entre ses doigts nerveux un anneau qui pendait à son cou au bout d'un ruban bleu. L'enfant inspira profondément et laissa tomber tout bas, trop bas pour qu'on puisse l'entendre :

— Le comte Raimond de Tripoli…

— Parle plus clairement, mon garçon ! l'apostropha dame Agnès.

— Le comte de Tripoli, enchaîna-t-il très vite pour ne pas se donner le temps de réfléchir plus longuement et de retenir ses propos. Voici les paroles qu'il a prononcées cette nuit. Il a dit très exactement : "J'espère que cette fois, tu ne rateras pas ton coup, Arnulf. La garce le porte sur elle, je l'ai vu." Je ne veux pas vous effrayer, dame Sibylle, mais je crois qu'il parlait de vous.

Sibylle poussa un cri et défaillit. Rosemonde et Galiotte d'Irfoy se portèrent aussitôt à son secours. Philémon, se dandinant d'une jambe sur l'autre, ne savait que faire. Le roi se tourna vers lui.

— Retourne chez les Hospitaliers. Je t'ai promis ma protection et tu l'auras, mais sache que si tes propos ne sont que pure calomnie, tu seras pendu !

Sur ces mots, Baudouin quitta la pièce en grimaçant de douleur. La lèpre ne lui laissait que de courts instants de répit, mais ne l'empêchait nullement de réfléchir et de prendre son rôle de roi au sérieux.

« Je croyais Tripoli reparti sur ses terres, se dit-il. Pourquoi est-il revenu si vite à Jérusalem, que manigance-t-il ? Je dois parler de tout cela avec Milon de Plancy. »

8

À la deuxième heure* du jour, Philémon, quelque peu hébété, se retrouva dans les rues de Jérusalem. Autour de lui, la ville s'animait comme chaque matin. Il prit la direction du Marché latin; il ne devait pas oublier de passer les commandes de frère Ondaric. Cette fois, il opta pour la rue Couverte, où les drapiers exposaient leurs plus belles soieries et leurs toiles de coton importées des sultanats indiens. Il marchait tranquillement, profitant de ses quelques trop rares moments de liberté dans la ville. Arrivé à la hauteur d'un marchand de soie, il se pencha, attiré par un coupon de tissu d'une belle couleur rouge chatoyante. À cet instant, un « clic » bizarre le sortit de ses songes. Il regarda par-dessus son épaule gauche: la pierre d'un mur venait d'éclater tout près de lui. Il baissa les yeux: un coustel* à la lame brisée gisait sur le sol. Philémon fronça les sourcils. D'où sortait cette arme?

Soudain, des injures montant du bout de la rue, à environ trois toises* de l'endroit où il se tenait, l'alertèrent. Un homme, portant une robe arabe ocre descendant aux genoux, appelée gandoura, et un turban brun, venait de bousculer deux femmes qui faisaient des emplettes. Elles l'invectivaient copieusement.

La peur le saisit à ce moment-là. Il comprit qu'il avait échappé à la mort d'un cheveu. La lame qui s'était brisée sur la muraille était de toute évidence destinée à son dos. Il ne se demanda pas qui avait ordonné cet attentat, il s'en doutait; c'était même sûrement la main d'Arnulf qui avait décoché le coustel. Prenant ses jambes à son cou, il fila vers l'hostellerie, et au diable les commandes. Il se hâta de rejoindre les autres pages et valets qui s'activaient auprès des malades. Ici, entre les murs de l'hospital, il se sentait en sécurité.

M

Philémon était en train de déblayer de la paille souillée lorsqu'il suspendit son geste: il n'allait quand même pas rester caché toute sa vie. Il devait parler à quelqu'un. Qui de mieux placé que son maître pour le protéger? Voilà, c'était cela qu'il allait faire: tout raconter à son parrain qui saurait le conseiller. Et puis n'était-ce pas le chevalier Géraud qui l'avait choisi pour accompagner frère Ondaric à l'abbaye Saint-Lazare afin d'y chercher la princesse? N'était-ce pas lui aussi qui lui avait demandé de garder les yeux et les oreilles ouverts? Philémon n'avait pas encore eu l'occasion de lui donner tous les détails de son expédition à Béthanie. Il ne devait plus tarder.

Sa résolution prise, le garçon se sentit plus léger et eut davantage de cœur à l'ouvrage pour nettoyer les traces de sang et d'excréments, résultats des dernières opérations chirurgicales menées par les moines.

Une fois ses corvées domestiques accomplies, il courut vers les locaux réservés aux chevaliers de l'Hospital.

— Géraud vient juste de partir pour le krak de Montréal, le renseigna un chevalier qui était en train de s'armer pour sortir. Tiens, aide-moi à enfiler ma cotte de mailles.

Philémon fit ce que le moine-soldat lui demandait, même s'il aurait voulu s'élancer tout de suite à la poursuite de son maître.

— Pourquoi va-t-il là-bas ? osa-t-il demander.

Le chevalier le toisa de la tête aux pieds, mais lui répondit malgré tout.

— Milon de Plancy lui a ordonné d'aller au-devant d'un convoi de sucre de canne qui doit être livré à Jérusalem. Tu es un des pages de l'hostellerie, n'est-ce pas ?

— Oui.

— Eh bien, presse-toi ! Sa troupe ne doit pas être loin de la ville. Si tu passes par la poterne* des Templiers, tu as une chance de la rattraper dans la vallée.

Philémon partit en courant, sans réfléchir. Mais plus sa course le menait dans les parages de Sainte-Marie-des-Teutoniques, plus il ralentissait le pas. La crainte de croiser Arnulf finit par le freiner totalement.

La peur au ventre, il examinait avec minutie les rues et ruelles, sondant du regard tous les coins sombres. Les éleveurs du marché au bétail venaient d'arriver avec leurs troupeaux. Les brebis bêlaient, les veaux beuglaient; il aurait été facile pour un criminel de se cacher parmi les animaux. À cette pensée, sa salive passa de travers dans son gosier, et il faillit s'étouffer. Peut-être valait-il mieux rebrousser chemin et attendre, dans la sécurité de l'hospital, le retour de maître Géraud. Chaque personne vêtue d'une bure, d'une gandoura, d'un caftan, de la djellaba ou de la tunique noire des rares juifs autorisés par les croisés à circuler dans la ville lui donnait la chair de poule. Il voyait des ennemis partout. La sueur lui coula dans les yeux, se mêlant à des larmes de panique. Il tourna plusieurs fois sur lui-même, ne sachant plus de quel côté se diriger. Il se sentait nauséeux; la peur ressentie plus tôt dans la rue Couverte revenait, décuplée par les divagations de son esprit. Il se rendit compte qu'il s'était dirigé vers la porte des Tanneurs, située entre l'église Sainte-Marie-des-Teutoniques et le quartier général des Templiers. Il ne se sentit plus le courage de revenir sur ses pas, alors il sortit de Jérusalem, empruntant la route du sud-ouest. Une fois hors des murs, il se mit à courir de toutes ses forces pour tenter de rattraper le chevalier Géraud et ses hommes. Il espérait que ces derniers n'avaient pas encore dépassé la piscine de Siloé et les ruines des premières fortifications de la Ville sainte.

Jérusalem était entourée de quelques bassins, étangs et piscines reliés à la ville par des aqueducs et des canaux qui assuraient l'approvisionnement en eau à l'intérieur des fortifications. En effet, perchée sur un rocher, la ville dépendait entièrement de la source qui coulait plus bas dans la vallée.

L'enfant, pour se donner du courage et surtout pour ne pas penser aux lames qui pouvaient l'atteindre, se remémora les leçons que lui faisait apprendre frère Ondaric.

Les bains de Siloé étaient mentionnés dans la Bible. C'était là que Jésus avait guéri un aveugle, en lui badigeonnant les yeux de boue avant de lui dire de se laver dans le bassin. Un canal, construit sur l'ordre du roi Ézéchias, sept cents ans avant Jésus-Christ, permettait d'alimenter la ville en eau en cas de siège. Frère Ondaric lui avait dit que les ouvriers avaient réussi tout un exploit technique, puisqu'ils avaient dû percer la roche à partir de deux points opposés sur une distance de plus de mille quatre cents pieds. Une équipe était partie de la source de Gihon, qui alimentait la piscine de Siloé, et une autre du bas de la ville. Ils s'étaient guidés au son de leurs outils et de leurs cris pour se rejoindre. La piscine avait également été le seul point d'eau qui n'avait pas été empoisonné par le gouverneur fatimide de la ville lorsque les croisés avaient assiégé Jérusalem, soixante-quinze ans plus tôt.

Philémon arriva enfin tout près du bassin, mais il ne vit aucune trace de Géraud. Il soupira.

« Je me rends jusqu'aux ruines de l'ancienne muraille, et si je ne le vois pas, je rentre à l'hostellerie ! » se dit-il.

Il contourna les escaliers qui descendaient vers la piscine et s'appuya sur le muret de pierre pour jeter un œil en contrebas, histoire de s'assurer que son maître ne s'était pas arrêté quelques secondes près de l'eau. Le bassin mesurait cinquante-trois pieds de long sur dix-huit de large, et s'ouvrait tout au bout sur un très beau jardin, rempli d'arbres fruitiers, qui résonnait de chants d'oiseaux.

Il n'eut pas le temps de sentir venir le danger. Quelqu'un le saisit par les deux jambes et le fit basculer par-dessus le parapet : une chute de dix-neuf pieds ! Tout cela se fit si rapidement que le garçon n'émit pas un cri. Son corps rebondit sur les pierres et acheva sa course au bord du bassin. Son front tapa durement sur le rebord et Philémon se retrouva la tête immergée dans la piscine. Il ne bougea plus.

Arnulf patienta quelques secondes pour s'assurer que le garçon ne se remettrait pas de cette chute, puis, convaincu de s'être débarrassé d'un témoin gênant, il reprit la route de la Ville sainte, en ricanant dans sa barbe.

« Finalement, ce n'était pas si difficile ! Maintenant, je dois récupérer cet anel qui pend au cou de la garce. Il suffit de voler à l'apothicaire de notre ordre les quelques plantes appropriées pour confectionner un poison efficace. Tripoli se chargera de le lui faire administrer par un des serviteurs du palais. Tout a un prix, même la loyauté. »

M

L'enfant ouvrit les paupières ; une lumière vive lui brûla les yeux et une douleur terrible lui vrilla le cerveau. Il était allongé sur un sol de calcaire rosé. Il leva la main vers sa tête ; elle était enturbannée d'un linge humide. Pendant quelques secondes, il fut totalement désorienté, puis il se souvint de la sensation perçue lorsque deux mains avaient saisi ses jambes, de son corps écorché dans sa chute par la rugosité des pierres, du choc de son front sur une dalle, de l'eau qui entrait dans ses narines et sa bouche. Ces souvenirs déclenchèrent d'irrépressibles tremblements.

— Calme-toi, mon garçon !

Une main parcheminée porta un gobelet de bois à sa bouche. Philémon se redressa sur un coude. Il ressentit des picotements et vit que son bras droit était bandé. Tout dansait devant ses yeux. Il grimaça en avalant quelques gouttes de la boisson ; elle avait un goût exécrable.

— Qui… qui… êtes-vous ? balbutia-t-il.

— Tais-toi ! Ici, c'est moi qui pose les questions, fit le vieil homme en durcissant le ton. C'est toute une chute que tu as faite là ! Tu sais, j'ai tout vu. Je m'étais arrêté quelques instants pour me désaltérer et faire boire mon vieil âne. Tu as déjà des ennemis à ton âge.

— Je….

— Tais-toi, ai-je dit !

Philémon pinça les lèvres.

— D'ailleurs, tu as quel âge ? Dix, onze ans au plus ! Un Sarrasin t'a saisi par les jambes pour te propulser par-dessus le muret.

Les tremblements recommencèrent. L'évocation du Bédouin confirma les pensées qu'il avait eues à son réveil ; c'était encore Arnulf qui avait cherché à le tuer.

— Qu'as-tu fait, jeune Franc ? Quel sacrilège as-tu commis ?

Philémon se contenta de secouer la tête. Il n'avait rien fait, mais comment en convaincre ce vieux juif ?

— Avant que vous arriviez, les musulmans et les juifs vivaient en harmonie à Jérusalem. Mais depuis que vous vous êtes installés, mon peuple est traité en étranger. Les juifs sont devenus les meurtriers de votre Christ ; vous nous avez chassés de la ville. Vous ne respectez rien !

Philémon ne savait que dire. Il ne connaissait l'histoire passée du royaume latin de Jérusalem que par ce que lui en avait appris frère Ondaric, c'est-à-dire pas grand-chose. Et à dire vrai, il ne s'était jamais intéressé au sort ni des juifs, ni des musulmans.

— Enfin ! Heureusement que je passais par là ! Allez, bois, ça te remettra les idées en place.

De nouveau, il força l'enfant à avaler quelques gorgées du gobelet.

— Bon, que vais-je faire de toi ? marmonna le vieil homme.

« Après une telle chute, cet enfant aurait dû mourir. L'Éternel l'a protégé. À moins… à moins que ce soit Satan qui l'ait sauvé ? Il est tombé comme une pierre et n'a que quelques égratignures au bras et une bosse au front. C'est surnaturel. Et que signifie ce signe du serpent sur son cuir chevelu ? Est-ce une ancienne cicatrice, une marque de naissance ou plus sûrement un tatouage ? C'est un symbole de sagesse divine, mais aussi la marque du mal. Qui est donc ce garçon ? Il n'a pas l'air de se rendre compte qu'il vient d'échapper à une mort certaine. »

— Où suis-je ? hasarda Philémon, malgré l'interdiction de parler que lui avait imposée son sauveur.

— Au bassin de Siloé, où veux-tu être ? gronda l'homme.

Philémon tenta une fois encore de se remettre sur ses pieds. Tout tournait autour de lui, mais il fit un effort pour dominer ses vertiges.

— Pouvez-vous me conduire à Jérusalem ? demanda-t-il.

— Et puis quoi encore ? Je te rappelle que les juifs ne sont pas admis dans la ville, sans autorisation.

Philémon baissa les yeux, le découragement l'envahit ; il était au bord des larmes. Mais c'était un enfant, et le vieil homme avait bon cœur. Ils se regardèrent en silence. Les yeux noirs de Philémon ne fléchirent pas devant le vieux juif, à tel point que ce dernier commençait à ressentir de la crainte envers ce survivant. Il n'avait plus aucun doute qu'une force inconnue l'avait sauvé.

— Je vais t'accompagner jusqu'aux remparts près du Temple, ensuite tu te débrouilleras, dit-il sur un ton bourru.

Philémon acquiesça. Il se sentait rassuré de savoir que quelqu'un allait le ramener, au moins jusqu'à la Triple Porte, réservée à l'usage exclusif des cavaliers templiers. S'il se sentait menacé, il pourrait demander à un chevalier de le protéger jusqu'à l'hostellerie Saint-Jean.

— Merci, monsieur ! fit-il. Je vous dois la vie, et je ne pourrai sans doute jamais vous payer ma dette. Je ne suis pas un mauvais garçon. L'homme qui m'a jeté par-dessus le mur n'est pas un musulman, mais un chrétien. Il veut se débarrasser de moi parce qu'il complote contre la sœur de mon roi et que j'ai tout entendu.

Le vieux juif regarda l'enfant en faisant une grimace.

« Je l'ai peut-être sauvé pour qu'il aille se faire tuer dans peu de temps ! songea-t-il. Mais après tout, les affaires des Francs ne me regardent pas. Pourtant… pourtant, quelque chose me dit que cet enfant est destiné à accomplir de grandes choses, mais qu'il n'en est pas conscient. J'espère simplement que ce ne sera pas contre mon peuple ! »

Le vieil homme garda ses pensées pour lui. Soutenant Philémon, il l'aida à monter les marches escarpées qui menaient au plateau, en contrebas de la ville.

9

Philémon patienta jusqu'au lendemain avant de voir revenir son maître, qui avait escorté le convoi de sucre en provenance du krak de Montréal. Dès que Géraud eut regagné l'hostellerie, le garçon se précipita à sa rencontre. Il était bien décidé à tout lui raconter au plus vite. Par deux fois déjà, Arnulf avait attenté à sa vie ; une troisième tentative lui serait assurément fatale.

— Attends, attends une petite seconde ! lui lança Géraud lorsque le garçon se mit à lui déballer son histoire à toute vitesse. Aide-moi d'abord.

Géraud se dégagea de la capuche de mailles qui protégeait sa tête et son cou, sous son casque conique à nasal, et retira ses gants, également de mailles. Puis, il enleva son mantel* de drap noir, arborant la croix blanche des Hospitaliers sur le côté gauche. Sous sa robe noire serrée à la taille par une ceinture de cuir, il portait une longue chemise de mailles descendant à mi-mollet, dont les manches recouvraient les bras jusqu'aux poignets. Ses jambes étaient également protégées par des chausses de mailles.

Sous ce métal, l'homme était en chemise de coton, trempé de sueur. Le soleil chauffant du Levant rendait le port prolongé de l'armure insoutenable.

— Apporte-moi de l'eau ! le somma Géraud.

Philémon se hâta d'obéir. Son parrain ne l'écouterait pas tant qu'il ne se serait pas rafraîchi.

— Tout s'est bien déroulé, maître ? le questionna l'enfant, en faisant couler de l'eau sur la tête de Géraud, penché au-dessus d'un baquet de bois.

— Un voyage dans le cul du diable ! À cause de ces Bédouins qui attaquent nos caravanes à l'improviste, nous sommes obligés d'escorter les marchands, même aux heures les plus chaudes de la journée.

— Maître, à propos d'attaque... je... j'ai... on a tenté de me tuer !

Le garçon narra son retour de Béthanie, les yeux bleus du chef des nomades, la conversation surprise au cœur de la nuit. Il raconta aussi comment il avait fait la malheureuse connaissance d'Arnulf et avait reconnu Raimond de Tripoli au palais royal. Il parla du poignard brisé et termina par sa chute dans la piscine de Siloé.

Pas une fois, Géraud ne l'interrompit. Quand l'enfant eut terminé, le chevalier resta silencieux durant de longues secondes, tant et si bien que Philémon se demanda si son maître le prenait pour un menteur.

— C'est la vérité vraie, je le jure !

L'expression préférée de Philémon amena un sourire sur le visage de l'Hospitalier.

— Je te crois! déclara finalement le chevalier. Je dois te confier quelque chose, mon garçon! Quelque chose concernant ta naissance.

— Que je suis un bâtard? Ça, je le sais déjà! se défendit l'enfant, la tête haute.

— Tu es le fils naturel de Manassès de Hierges et de Helvis d'Irfoy, mais tu es surtout...

Le chevalier hésita. Il trouvait l'enfant trop jeune, trop inexpérimenté. Ce n'était encore qu'un page qui ne savait même pas lever son bouclier pour se protéger. Géraud n'avait pas prévu que les événements se précipiteraient ainsi. Il s'en voulut de ne pas lui avoir enseigné le combat à l'épée plus tôt, car le garçon devrait maintenant se défendre seul. Il ne serait pas toujours derrière lui pour lui prêter main-forte.

— Écoute-moi bien! Tu sais que ta mère a épousé un homme nommé Gauvin quelques mois après ta naissance. Ton véritable père était déjà marié de son côté.

Le garçon acquiesça de la tête, le regard inquiet.

— Elle a suivi Gauvin jusqu'ici, en Terre sainte, en t'emmenant avec elle. C'est pour cela que tu n'as pas grandi à Hierges, mais à Jérusalem.

Philémon hocha de nouveau la tête, se demandant où son maître voulait en venir.

— Un jour, ce soldat, qui n'était pas ton père, m'a demandé de faire de toi un homme. C'était il y a cinq ans. Tu sais que ton beau-père n'a pas survécu de beaucoup à ta mère, puisque Gauvin a été tué dans l'attaque des Francs contre le port de Damiette, en Égypte. Il était maître arbalétrier dans l'armée du roi Amaury. Quelques semaines avant cela, il t'avait confié à moi.

— Oui, je m'en souviens très bien ! Je vous remercie de vous être si bien occupé de moi, maître.

— C'est un peu normal, mon garçon ! Tu es mon neveu… Par alliance, c'est vrai, mais mon neveu quand même.

Comme Philémon le regardait d'un air étrange, Géraud crut bon d'ajouter :

— Gauvin était mon frère aîné !

Philémon en fut bouche bée.

— Ce n'est pas tout… reprit Géraud.

Le chevalier posa sa main sur la nuque de Philémon et lui écarta les cheveux pour faire apparaître la marque qu'il savait y trouver.

— Tu portes sur le crâne une marque de naissance en forme de serpent, expliqua-t-il. Selon ce que m'en a dit ta mère autrefois, ton père, Manassès, porte la même. Et ce signe vous désigne comme des descendants de…

Il se demanda un instant s'il devait continuer ; l'enfant était-il assez solide pour supporter cette révélation sur sa famille ?

— … de ?… articula Philémon.

— De la fée Mélusine ! acheva le chevalier.

Un instant, l'enfant crut que son parrain se moquait de lui ; mais à son air sérieux, il vit bien qu'il n'en était rien.

— La fée Mélusine... répéta-t-il sur un ton rêveur.

— La légende raconte que Mélusine a construit le premier château de Hierges en une nuit. On dit qu'il avait trois cent soixante-cinq fenêtres, autant que de jours dans une année. Peut-être est-ce là-bas que se trouve le deuxième anneau de Mélusine, qui sait ?

— L'anneau... quel anneau ? bégaya Philémon.

— Oh ! C'est vrai, tu ne sais pas.

Il tira l'enfant par le bras et le fit asseoir sur un tabouret bas, pendant qu'il prenait place dans un siège à accoudoirs, trempant ses pieds dans le baquet pour apaiser sa brûlure.

— D'après ce que colportent les troubadours, des anneaux ont été remis à deux des fils de Mélusine. Deux anneaux magiques. Pour que leur pouvoir fonctionne, ceux-ci doivent être réunis au même doigt. L'un sans l'autre, ils ne sont rien d'autre que des ornements.

— Quel pouvoir ? osa demander le garçon.

Philémon frissonnait ; ce que son maître lui racontait était ahurissant. Il ne parvenait pas à croire que tout cela lui arrivait, à lui, simple page des Hospitaliers.

— Tant que ses fils useraient de loyauté, sans sombrer dans la tricherie ou la méchanceté, et qu'ils garderaient sur eux cet anneau, ils ne pourraient jamais être défaits par les armes, ni blessés dans aucune querelle ou bataille, ni tués par magie ou par poison. Ils seraient protégés toute leur vie.

— Est-ce que la prophétie a... réussi ? s'enquit Philémon, de plus en plus intrigué par cette histoire.

— Je crois bien !

— Mais ne fallait-il pas qu'ils portent les deux anneaux ensemble ? C'est ce que vous venez de dire...

— Puisque du sang féerique coulait dans les veines des deux garçons, un seul anneau leur suffisait. Par contre, leurs descendants, eux, devraient porter les deux anneaux pour que leurs pouvoirs perdurent. L'un des fils a vécu toute sa vie dans le Poitou, où demeurent encore ses lointains petits-enfants. Quant à l'autre, selon les dires de ta mère, il a fondé la lignée de Hierges. Tu serais donc de la famille de celui-ci et, par conséquent, de Mélusine !

— Et les anels, où sont-ils maintenant ? questionna l'enfant, le souffle coupé par cette révélation extraordinaire.

— Bien malin qui pourrait le dire, mon neveu ! J'espère qu'ils ne seront jamais réunis à l'annulaire d'un tyran. Il ne pourrait en résulter que le mal.

Philémon ferma les yeux ; un souvenir cherchait à s'imposer à son esprit, mais il ne parvenait pas à retrouver ce dont il s'agissait. Où avait-il vu un anneau ? Les dames mais aussi des hommes, barons ou ecclésiastiques, portaient des bijoux garnis de pierres diverses auxquelles ils attachaient différentes vertus. On disait, par exemple, que certaines pouvaient protéger de la morsure des serpents, guérir les maux d'estomac, garantir la richesse ou favoriser le sommeil. Mais il avait beau se creuser les méninges, sa mémoire lui faisait défaut.

— Tu es bien songeur ! remarqua Géraud.

— Un jour, quand je serai chevalier, je chercherai ces anneaux... Pour faire le bien autour de moi, maître.

— Tu es un bon garçon, Philémon ! Mais dis-toi qu'il y a peut-être des talismans qu'il vaut mieux ne pas ramener à la lumière du jour, et surtout pas à la connaissance de tous.

— Je serai chevalier et je saurai les protéger ! s'enflamma l'enfant.

— Je n'en doute pas ! Mais crois-moi, le fardeau sera lourd à porter. Tu devras y consacrer ta vie. Tu auras de nombreux ennemis, des envieux, des jaloux, des voleurs qui chercheront à s'en emparer par tous les moyens. Tu ne connaîtras jamais la paix. Ton existence sera parsemée de peur, de combats, de mort. Est-ce bien la destinée que tu souhaites ?

Philémon ne répondit pas. Il n'avait pas envisagé les choses sous cet angle.

— Bien. Maintenant que tu sais cela, attaquons-nous à ton problème ! Pourquoi Arnulf et Tripoli cherchent-ils à se débarrasser de toi ?

— Ils croient peut-être que je possède les anneaux, avança Philémon.

— C'est ce que je pense aussi, approuva son maître. L'un d'eux a-t-il examiné ta tête ?

L'enfant passa la main dans ses cheveux, à l'endroit où Géraud lui avait indiqué la marque serpentine.

— Non ! fit-il.

— Leur fureur est donc due à autre chose. Répète-moi la phrase que tu as entendue, veux-tu ?

— "La garce le porte sur elle, je l'ai vu !"

— Tu as rapporté cela à la princesse ?

— Oui. Et elle s'est trouvée mal. Le roi m'a dit qu'il me protégerait, pourtant il m'a renvoyé ici sans escorte. À mon avis, notre sire ne me croit pas.

— Ou il ne mesure pas le danger, soupira Géraud. De toute façon, tu es plus en sécurité ici qu'au palais royal où Tripoli et son complice peuvent circuler sans problème. À partir de maintenant, tu ne dois plus quitter l'hospice.

— Mais... geignit Philémon.

— Je sais que tu aimes te promener dans Jérusalem, et je comprends que restreindre ainsi ta liberté peut te paraître terrible, mais c'est ta vie qui est compromise.

Géraud se leva, attrapa ses chausses bicolores, jaune pour la jambe droite et verte pour la jambe gauche, s'habilla, puis glissa son pied dans des souliers constitués d'une semelle de cuir épais sur laquelle était cousue une tige, c'est-à-dire la partie supérieure, faite de cuir fin. Philémon se précipita aux pieds de son maître pour lacer les cordons autour de ses chevilles.

— Je vais à la Citadelle pour m'entretenir avec la dame d'Irfoy. Ta tante maternelle et moi trouverons une solution pour préserver ta vie.

L'enfant acquiesça et tandis que le chevalier Géraud se dirigeait vers le palais royal, il retourna à ses tâches quotidiennes dans l'hospital. Les révélations de son parrain tournèrent longtemps dans son esprit.

M

Géraud fut conduit auprès de la dame d'Irfoy qui tenait compagnie à Agnès de Courtenay et à la princesse Sibylle. Elles étaient en train de jouer de la musique et de chanter, s'accompagnant à la harpe et au luth. Le chevalier sourit en reconnaissant une chanson de *fin amor* d'un troubadour célèbre dans tout le royaume, qui s'était inspiré des poètes arabo-andalous.

— Pardonnez-moi de troubler vos chants, gentes dames ! s'excusa-t-il dès qu'un page l'eut introduit dans la pièce commune. Je dois vous entretenir de toute urgence, dame d'Irfoy. Il en va de la vie de notre neveu, Philémon.

— Le petit page des Hospitaliers ? s'enquit Sibylle. J'espère qu'il ne lui est rien arrivé de grave.

— Il a échappé par deux fois à la mort, répondit Géraud.

— Oh, Seigneur ! se troubla la princesse. Pourquoi ? Comment ?

Le chevalier relata les mésaventures de Philémon, et surtout les soupçons que le garçon entretenait vis-à-vis de Raimond de Tripoli et d'Arnulf le Teuton. Cependant, il jugea préférable de ne pas parler de l'ascendance mélusienne du garçon, ni des anneaux de la fée, en présence de membres de la famille royale. Cette information ne concernait que Galiotte d'Irfoy et lui-même.

— Il nous a déjà mis en garde, intervint la comtesse de Jaffa et d'Ascalon. Mon fils a promis de le protéger en attendant de faire la lumière sur ses accusations.

— Malgré tout le respect que j'ai pour vous et notre jeune sire, j'ai le regret de vous dire que notre roi ne peut attacher un garde à chacun des pas de cet enfant, jour et nuit, répondit Géraud.

— Que pouvons-nous faire ? l'interrogea Galiotte d'Irfoy.

— Tant que Philémon restera dans le royaume de Jérusalem, il ne sera jamais tranquille. Tripoli a le bras long, le comte le retrouvera, peu importe l'endroit où nous l'enverrons.

— Toute cette histoire me semble bien étrange, chevalier ! fit Agnès de Courtenay qui n'était pas née de la dernière pluie. Que l'on s'en prenne à un valet des Hospitaliers parce qu'il a surpris une bribe de conversation me paraît improbable.

— Cette petite phrase menaçait la princesse Sibylle… intervint Galiotte.

— Ce n'est pas prouvé ! répliqua Agnès d'un ton sec.

Sibylle porta une fois de plus sa main à son ruban bleu, et Géraud aperçut l'anneau qui y était suspendu. Agnès surprit son regard.

— Galiotte, Géraud, veuillez nous laisser ! dit la comtesse.

La dame d'Irfoy et le chevalier sortirent sans ajouter un mot. Une fois la porte refermée sur eux, la dame de compagnie fit signe à Géraud de le suivre dans sa chambre où ils pourraient parler à l'abri des oreilles indiscrètes.

— Vous avez raison, messire, il faut éloigner Philémon, et le cacher dans un endroit où personne n'ira le chercher… Un monastère, peut-être !

Géraud secoua la tête. L'enfant ne devait pas être enfermé pour le reste de ses jours. Il deviendrait un très bon chevalier. Et en tant que descendant de Mélusine, un plus grand destin encore l'attendait.

— Comme il est encore jeune, j'ai pensé l'envoyer à Hierges, auprès de son père et de ses demi-frères. Ils pourront achever sa formation, faire de lui un bon écuyer, et un chevalier.

— Hmm ! C'est un enfant né d'un amour hors mariage… Comment va-t-il être reçu ? Il n'aura aucun droit ou si peu. Je ne veux pas qu'il serve d'esclave à ses frères. J'insiste, trouvons-lui un monastère dans le royaume de France.

Décidément, Galiotte n'en démordait pas. Mais pas question que Géraud lâche prise, Philémon ne le lui pardonnerait pas.

— Le roi Baudouin lui a promis sa protection. Je vais essayer d'avoir une recommandation royale pour lui, proposa Géraud. Sa famille n'osera probablement pas le maltraiter en le sachant si proche du pouvoir.

— Jérusalem sera loin, chevalier... Rien ne garantit qu'il en sera ainsi. Il faudrait que quelqu'un l'accompagne et veille sur lui.

— Je ne peux pas quitter Jérusalem de mon propre chef, j'appartiens aux Hospitaliers. Il n'y a que le grand maître de mon ordre, Joubert de Syrie, qui puisse m'y autoriser. Et je ne le lui demanderai pas, car je n'ai nulle envie de retourner dans le royaume de France où je n'ai plus aucune attache.

— Très bien, déclara Galiotte. J'ai une idée, me faites-vous confiance ?

— Je sais que vous voulez le bien de notre neveu. Mais je vous en prie, oubliez les monastères. Ce garçon sera un homme d'armes et non de prières. Quelle est votre proposition ?

— Allons retrouver dame Agnès et la princesse Sibylle. Je vous exposerai mon plan et je prendrai leurs conseils.

Pendant que Galiotte et Géraud s'entretenaient du sort de Philémon, Sibylle et sa mère étaient préoccupées par le parchemin et l'anneau qu'elles avaient découverts dans la boîte.

— J'ai vu Amauri de Lusignan, hier. Il m'a donné quelques explications sur cet anel mystérieux. Il est dans sa famille depuis quelques centaines d'années. Il s'agit de l'un des deux anneaux de Mélusine, celui que la fée a remis à son époux, qui l'a transmis à son tour à son fils Geoffroy Grande-Dent. Ce dernier l'a légué en héritage à son frère Thierry, puis de fils aîné en fils aîné, il est venu jusqu'à Amauri.

— Pourquoi nous l'a-t-il donné ? demanda Sibylle, intriguée.

— Amauri te propose un marché !

La jeune princesse dévisagea sa mère. Elle avait peur de comprendre. Elle avait toujours dit qu'elle ne serait jamais l'objet de tractations, mais elle sentait bien que là, elle aurait une décision à prendre et que celle-ci modifierait à jamais le cours de son existence. Mais de là à épouser l'amant de sa mère, il n'en était pas question !

— Je ne veux pas d'Amauri dans mon lit ! éclata-t-elle, furieuse.

Agnès la dévisagea, interloquée.

— Il n'est nullement question de cela, ma fille.

Tout de suite, Sibylle respira mieux, mais demeura sur ses gardes.

— Je vous écoute.

— Baudouin est très malade, sa vie sera brève. Je ne souhaite pas de mal à mon propre fils, mais il faut être lucide, ses jours sont comptés. Bientôt, tu deviendras reine de Jérusalem, Sibylle, mais la Haute Cour n'acceptera jamais de te donner la couronne si tu n'es pas mariée…

— Avec un homme de leur choix, je présume ! laissa tomber la princesse, en grinçant des dents.

— Évidemment ! Mais on peut les prendre de vitesse. Amauri a un frère cadet du nom de Gui. Regarde, il m'a donné un portrait pour toi.

Agnès s'approcha d'une table sur laquelle, un peu plus tôt, elle avait déposé un coffret ; elle l'ouvrit. À l'intérieur se trouvait une miniature d'un très beau jeune homme d'environ seize ans, au regard sombre et perçant. Elle tendit le portrait à sa fille. Sibylle écarquilla les yeux. Elle n'avait jamais vu un si joli garçon, aux boucles blondes, au visage superbement dessiné. Il avait un nez droit surmontant une bouche pulpeuse et un port de tête remarquable. Il semblait mince, grand, athlétique et doux de caractère.

— S'il est la moitié moins gracieux que ce que le peintre a représenté, il doit être splendide ! se réjouit la jeune fille.

Elle sentit une chaleur agréable traverser tout son corps, lui serrer le ventre, et faire rougir ses joues. Le désir s'éveillait en elle ; elle n'avait jamais ressenti cela auparavant, car pendant toutes ses années à l'abbaye de Béthanie, sa grand-tante avait bien pris soin de l'éloigner des tentations amoureuses.

Agnès sourit.

— Que dois-je répondre à la proposition d'Amauri ? fit-elle, avec un petit air malicieux.

— Qu'il m'agréerait assez de faire la connaissance de son jeune frère… bafouilla Sibylle, les yeux plongés dans le regard qui semblait la fixer sur le portrait.

— Hum ! Il y a juste un petit problème… soupira Agnès.

— Quoi ? Il est estropié ? Bègue ? Simplet ? s'inquiéta la princesse.

La comtesse de Jaffa et d'Ascalon éclata de rire.

— Rien de tout cela, ma fille. C'est qu'il ne vit pas à Jérusalem…

— Oh ! Eh bien, je patienterai. Je n'ai pas besoin de l'épouser demain à laudes*, n'est-ce pas ? Qu'Amauri lui envoie un message ou le fasse chercher.

— Tu ne comprends pas. Gui ne vit pas en Outremer*, il est toujours sur les terres familiales des Lusignan, dans le Poitou.

— Ha !

— De plus, tu ne peux pas te marier sans l'autorisation de ton frère. Hier justement, j'ai entendu Baudouin discuter avec son précepteur, Guillaume de Tyr. Ils ont déjà choisi pour toi Guillaume de Montferrat, dit Longue-Épée, "le plus haut homme qui est au monde" selon leurs dires. Guillaume de Tyr dit qu'il est d'une grande générosité, très intelligent, qu'il a une longue expérience des champs de bataille. Et puis, il est le cousin du roi de France et du roi du Saint-Empire germanique, ce qui n'est pas à négliger dans le cas où le royaume de Jérusalem aurait besoin de renfort pour vaincre les Sarrasins.

— Argh ! Guillaume de Tyr ! De quoi se mêle-t-il celui-là ? s'enflamma Sibylle. Guillaume de Montferrat… je le connais, il est vieux ! Il a au moins trente ans. Et comment se fait-il qu'il ne soit pas encore marié, s'il est aussi bien que le dit cette vieille bique d'archevêque ?

— Il n'a pas eu de chance. Il était promis à une des filles du roi d'Angleterre, mais l'Église s'est rendu compte qu'il y avait un problème de consanguinité. Il fut ensuite promis à la fille du roi d'Écosse, mais entretemps ce dernier changea d'idée.

— Je suis donc un troisième choix ! gronda Sibylle, en bousculant son petit chien qui tentait de se hisser sur ses genoux.

— Guillaume Longue-Épée n'est pas un mauvais parti, Sibylle. Mais je crois que Lusignan serait mieux pour toi…

— Et pour vous aussi, mère ! répliqua la princesse. Votre amant au pied du trône grâce à son frère, que demander de plus ?

Agnès de Courtenay ne répliqua pas, mais enchaîna :

— Il y a une autre raison pour laquelle il faut préférer Lusignan. L'anneau… cet anneau que tu portes au cou n'est pas qu'un simple jonc. En réalité, il est magique. Il a été transmis par Mélusine à ses fils. À l'origine, il y en avait deux. Si les deux anneaux étaient réunis…

La comtesse n'acheva pas sa phrase. Elle entrevoyait avec délice tout le pouvoir que procureraient ces anels s'ils étaient passés au doigt de sa fille.

— Qu'arriverait-il si les deux anneaux étaient en ma possession, mère ? insista Sibylle.

— Tu serais la plus grande reine de tous les temps. Tu te débarrasserais de Saladin, tu annexerais tous les États latins. Tu serais plus puissante que le roi de France et le roi d'Angleterre réunis !

— Il me faut ce deuxième anel ! s'emballa Sibylle, les yeux brillant de convoitise. Où se trouve-t-il ?

— Quelque part dans le royaume de France, mais plus certainement dans le Poitou. Depuis le mariage du roi anglais Henri avec Aliénor d'Aquitaine, le Poitou est devenu vassal de l'Angleterre et lui doit hommages et services.

— Il me le faut ! Gui de Lusignan vit là-bas, non ? Eh bien, il gagnera ma main et la couronne s'il rapporte le second anel à Jérusalem. Dites-le à son frère, trancha Sibylle.

— Ce n'est pas si simple…

— Ah ! C'est bien ce que je me disais ! Rien ne peut jamais être simple avec vous !

— Ce n'est pas de moi dont il s'agit. Le deuxième anneau a disparu. Nul ne sait où il se trouve. Il faudra sans doute des mois, voire des années pour le récupérer. Si les Lusignan avait pu te le rapporter, cet anel serait déjà à Jérusalem et à ton doigt. Mais on a perdu la trace de l'anneau lorsque Raimonet, le dernier fils de Mélusine, a quitté le Poitou pour un autre fief, en Ardennes.

Sibylle fit la moue et bougonna :

— Il doit bien avoir des descendants, ce Raimonet !

— Certainement. Mais Amauri n'a pu encore les identifier.

— Si près du but… et pourtant si loin !

— À mon avis, il faudrait envoyer deux émissaires, pas plus, sinon cela serait suspect, poursuivit Agnès. Ils parcourront le royaume de France, le Poitou, les

Ardennes et tous les endroits où cet anneau est susceptible de se trouver. Choisissons deux personnes qui n'attirent pas l'attention, qui n'appartiennent ni à la maison du roi ni à la mienne, et surtout pas à celle des Lusignan.

— Il faut donc des gens qui passent tout à fait inaperçus, mais à qui nous pouvons faire confiance. Je ne connais personne, mère. À moins d'envoyer des nonnes de l'abbaye, je ne vois pas à qui je pourrais ordonner de partir sur les routes pour me rapporter un anneau. L'abbaye ! s'écria tout à coup la princesse. Vous ai-je dit, mère, que le sol de la chapelle de l'abbaye Saint-Lazare est couvert d'une mosaïque qui représente Mélusine ? J'ai interrogé ma grand-tante Ivète, mais elle n'a pu m'en dire plus.

— Cette forteresse a été construite par la reine Mélisende de Jérusalem, ta grand-mère paternelle. Si je ne me trompe, son père était originaire des Ardennes...

— Les Ardennes ? C'est donc bien là qu'il faudrait commencer à chercher... fit Sibylle, songeuse.

— Mélisende était peut-être une descendante de Raimonet. Ton père ne m'a jamais entretenue à ce sujet, mais cela ne m'étonnerait guère. La vie de Mélusine a toujours été le récit le plus raconté dans sa demeure. Ton père adorait se le faire narrer.

— J'aurais donc du sang de Mélusine dans les veines, s'enthousiasma Sibylle. Ces anneaux me reviennent de droit, mère. Je suis destinée au trône de Jérusalem, je l'ai toujours su. Il me les faut !

M

Ce fut à cet instant que Galiotte d'Irfoy et Géraud demandèrent à être reçus par Agnès et sa fille. Les deux femmes y consentirent, se promettant de reprendre leur conversation un peu plus tard.

— Dame Agnès ! commença Galiotte. Maître Géraud et moi-même avons parlé de l'avenir de notre neveu, Philémon. Nous ne voyons qu'une seule façon de le soustraire à la lame d'Arnulf le Teuton. Aussi, nous vous proposons de l'envoyer très loin du royaume de Jérusalem. En vérité, je dirais même très loin de l'Orient.

— Nous avons pensé qu'il pourrait se rendre auprès de son père, à Hierges, dans les Ardennes, compléta maître Géraud.

En entendant le mot « Ardennes », Agnès et Sibylle se figèrent. Dieu avait-il décidé d'exaucer leur vœu le plus cher ?

— Mais le page n'est encore qu'un enfant ! Comment pourrait-il entreprendre un si long voyage, seul ? les questionna Sibylle, qui aimait bien le garçon et ne lui souhaitait aucun malheur.

— Il ne sera pas seul ! précisa Galiotte. J'ai pensé que mon Grégoire pourrait l'accompagner. Il est débrouillard, fort, intelligent et il sait déjà se battre comme un homme, même s'il n'est qu'écuyer.

— À qui appartient-il ? questionna Agnès, en priant tout bas pour que Galiotte ne mentionne ni le nom de Baudouin ni le sien.

Comme elle venait d'en convenir avec sa fille, il leur fallait deux envoyés qui ne leur soient associés d'aucune façon. Galiotte leur offrait peut-être la solution.

— Il est au service d'Étiennette de Milly, l'épouse du sénéchal de Plancy.

Sibylle et sa mère échangèrent des regards de connivence. Voilà une nouvelle qui les satisfaisait toutes les deux. Leurs deux émissaires étaient trouvés. Philémon était encore jeune, mais dans l'embuscade tendue par les Bédouins, il avait démontré son sang-froid. Et n'avait-il pas par deux fois échappé à un attentat ? Ce garçon était beaucoup plus solide qu'il n'y paraissait.

— Je vais réfléchir à votre idée, Galiotte ! répondit Agnès. Et surtout en référer au roi et au régent, car eux seuls peuvent autoriser deux jeunes hommes à s'éloigner ainsi du royaume.

— On parle de moi en ces lieux ! fit une voix que tous reconnurent pour être celle de Baudouin.

L'adolescent entra dans la pièce commune.

— Dame Galiotte, c'est vous que je voulais voir, justement ! lança-t-il à la dame de compagnie. J'aurais plaisir qu'en ce jour vous poursuiviez votre conte...

— Mon conte, sire ? s'étonna la dame d'Irfoy.

— Oui, vous savez, cette histoire que mon père appréciait tellement et que j'adore, moi aussi. Ce soir après le repas, j'aimerais assez entendre la suite des aventures de Mélusine.

Le jeune roi parut découvrir à cet instant la présence de maître Géraud.

— Oh ! monsieur le chevalier de l'Hospital, je vous reconnais ! Vous êtes le maître de ce jouvenceau, Philémon. Eh bien, je désire vous voir tous les deux ce soir au souper et pour l'heure du conte. J'ai si peu de distraction.

Baudouin salua les dames et s'en alla. Le quatuor resta figé et chacun, à part soi, commenta cette incroyable concordance des événements.

« Par quel miracle, les choses peuvent-elles si bien se placer ? » se demanda Agnès.

« Nous aurions cherché à combiner ainsi les événements que nous n'aurions jamais aussi bien réussi ! » songea Galiotte.

« Mélusine veille sur moi ! » se dit Sibylle.

« Mon neveu est assurément protégé par son ancêtre la fée ! » pensa Géraud.

10

Le soir venu, après le repas, les valets poussèrent les tables contre les murs, installèrent les tabourets et les chaises à dosseret puis allumèrent les lampesiers. Tous prirent place autour de Galiotte d'Irfoy. Même les chiens de Baudouin et de Sibylle cessèrent pour une fois de se disputer les os de gibier, puisque chacun avait reçu sa juste part.

Galiotte avala un grand verre de claret pour se préparer la gorge et reprit son récit, là où elle l'avait interrompu plusieurs jours plus tôt.

Un jour, un noble de Bretagne quitta son pays avec toute sa fortune et vint s'installer dans un endroit appelé Forez. Il construisit des villes et des forteresses, et fit de la région son domaine. Comme il était noble, vaillant, généreux et doux, il épousa la sœur du comte Aymeri de Poitiers et devint le vassal de ce dernier. Bientôt, les époux eurent deux enfants, des mâles, dont le dernier fut baptisé

Raimondin. L'enfant était beau, blond aux yeux sombres, grand et subtil d'esprit.

Un jour, le comte de Poitiers organisa une grande fête en l'honneur de Bertrand, son fils, qui serait armé chevalier ce jour-là, tout comme plusieurs autres adolescents de la contrée dont Raimondin, qui venait d'avoir quinze ans. La cérémonie comme la fête furent splendides et Raimondin de Forez se distingua particulièrement lors des joutes à l'épée et à la lance. Il était valeureux et adroit. Pendant huit jours, on organisa banquet sur banquet, tournoi sur tournoi, et Aymeri de Poitiers fit de splendides cadeaux aux nouveaux chevaliers et à leur famille. Puis chacun regagna son domaine, sauf Raimondin que son oncle aimait beaucoup et qui voulut le garder encore quelques jours près de lui. Il faut que je précise qu'Aymeri et Raimondin avaient une passion commune : ils adoraient la chasse. Le comte de Poitiers possédait de superbes chiens, des braques, des lévriers, des gros mâtins, des chiens courants et des limiers, et également des oiseaux de chasse très bien dressés, des faucons à la vue pénétrante et au bec acéré.

Un matin, un forestier accourut au château :

— Seigneur, j'ai vu un énorme sanglier dans la forêt de Coulombiers. Le plus magnifique qu'on n'ait jamais croisé dans la région. Une pareille occasion de chasse ne s'est pas présentée depuis longtemps !

— Quelle bonne nouvelle ! fit le comte, enthousiaste. Dis aux veneurs de préparer les chiens. Demain, à l'aube nous irons chasser le sanglier !

À l'heure dite, le lendemain matin, les barons et les chevaliers, que Poitiers avait fait prévenir la veille, se dirigèrent vers la forêt de Coulombiers. Raimondin chevauchait aux côtés de son oncle, l'épée à la ceinture et l'épieu sur l'épaule.

Rapidement, les veneurs débusquèrent la bête: c'était un sanglier énorme, redoutable et hardi, avec des défenses d'une taille impressionnante. Mais même une fois cerné, l'animal ne se laissa pas embrocher. Les coups d'épieu l'atteignaient, et pourtant toujours il se relevait et défiait la compagnie. Le sanglier semblait se moquer de tous les chasseurs.

— Ah, la sale bête! éclata Aymeri. Je ne peux croire qu'aucun chasseur, qu'aucun des vaillants chevaliers de cette troupe ne réussira à le tuer!

Entendant cela, Raimondin mit pied à terre et se dirigea vers la bête sauvage, l'arme au poing. Il frappa le sanglier sur le groin de toutes ses forces, mais celui-ci se rua sur lui et le renversa cul par-dessus tête. L'adolescent se releva, furieux et, levant son épieu, essaya de l'enferrer, mais l'animal s'enfuit à une vitesse telle que tous le perdirent de vue. Même les lévriers ne parvinrent pas à le pister. Raimondin et le comte remontèrent à cheval et le poursuivirent. L'adolescent était enfiévré et n'avait plus qu'un désir, rattraper la bête qui avait blessé son orgueil de chevalier. Voyant cela, Aymeri songea que son neveu en viendrait peut-être à oublier toute prudence et que le sanglier pourrait bien le tuer.

— Laissons cette chasse, mon neveu! fit-il après quelques heures de vaines poursuites. Si ce sanglier te tuait, jamais je ne m'en remettrais.

Mais Raimondin avait la rage au cœur. Et quoi qu'il arrivât, il n'avait plus qu'une idée, poursuivre ce cochon sauvage et lui couper la tête. Son cheval était rapide; il prit de l'avance sur la troupe. Finalement, les montures épuisées des veneurs ralentirent le pas. Et seul le comte Aymeri suivit les traces de l'adolescent.

L'oncle et le neveu chassèrent jusqu'à la tombée de la nuit, sans parvenir à rattraper le sanglier. Comme il faisait sombre désormais et qu'il aurait été imprudent d'essayer de retrouver leur route dans la noirceur, Aymeri proposa à Raimondin de dormir à la belle étoile, sous un grand chêne, ce que le jeune homme accepta. Ils ramassèrent des branches, allumèrent un feu, puis s'allongèrent sur la mousse et se mirent à admirer le ciel étoilé. Un oiseau de nuit survola leur campement improvisé, lança son cri, et s'éloigna d'un lourd battement d'ailes.

Aymeri avait quelques connaissances en astrologie, et même un peu en sciences occultes, selon les dires des gens de sa cour. Aussi, il jugea le moment bien choisi pour partager son savoir avec son neveu. La tête renversée, le comte réfléchissait. Raimondin remarqua qu'il semblait triste, mais bientôt ses traits se firent plus sereins et il déclara:

— Sais-tu, cher neveu, que là-haut dans les cieux, les étoiles écrivent pour toi un fabuleux destin, des aventures étonnantes?...

Le jouvenceau sourit mais ne répondit rien. Aymeri, les yeux fixés au ciel, semblait dans une sorte de transe. Un peu de sueur perlait sur son front, son regard fixe était balayé de lueurs étranges.

— Écoute-moi bien! reprit-il. Que dirais-tu si je t'annonçais que je peux voir dans les étoiles que cette nuit, un chevalier mettra à mort son seigneur, et qu'à cause de cet acte malheureux, ce jeune homme deviendra le plus puissant et le plus honoré de tous, et que de sa lignée seront issus les plus renommés des rois et des chevaliers?

— Hum! Ce que vous dites là n'est guère possible, mon oncle. Un tel chevalier ne mériterait pas de vivre.

À cet instant, dans un fourré tout proche, un froissement de broussailles fit renâcler les chevaux. Aussitôt, Raimondin et Aymeri sautèrent sur leur épée et vinrent trouver refuge près du feu, destiné tout autant à les réchauffer qu'à repousser les bêtes sauvages. Empêtré dans les broussailles, ils devinèrent un sanglier aux défenses énormes prêt à se jeter sur eux. C'était assurément celui qu'ils avaient traqué toute la journée.

— Vite! Montez dans l'arbre, mon oncle! cria Raimondin en se jetant devant l'animal.

— As-tu perdu la tête? Je ne vais pas t'abandonner seul devant ce monstre, répondit Aymeri.

Le sanglier, d'une force phénoménale, réussit à déchirer les broussailles. Raimondin, voyant le cou dégagé tandis que les pattes ne l'étaient pas encore, laissa tomber le tranchant de son épée sur le col de la bête. À peine blessé, *l'animal furieux se débarrassa cette fois du fourré tout entier. De tout son poids, il s'élança vers le comte qu'il renversa d'un coup de tête. Raimondin ramassa son épieu et l'enfonça en plein corps du sanglier. Hélas, il y avait mis tellement de force que son arme traversa à la fois le corps de la bête et celui de son oncle. Quelques secondes plus tard, Aymeri et le cochon sauvage rendirent l'âme en même temps.*

— Oh non !

L'exclamation échappa au jeune Philémon. Galiotte était si douée pour raconter qu'il avait l'impression d'avoir assisté en personne à cette terrible chasse.

— Que s'est-il passé ensuite ? demanda-t-il, la voix brisée par l'émotion.

Raimondin fut saisi d'horreur. Il sentit son cœur près d'éclater de douleur. En larmes, il se pencha sur son oncle, et resta ainsi le reste de la nuit à geindre, à se plaindre, à se lamenter de son geste. Il s'accusait d'être le meurtrier de la personne qu'il aimait le plus. À force de réfléchir et de se dire que son cousin Bertrand et sa cousine Blanche ne lui pardonneraient jamais d'avoir tué leur père, il finit par s'en convaincre. Lorsque le jour se leva, au lieu de retourner au château de Poitiers, il pensa qu'il valait mieux quitter le pays et aller payer son crime en menant une vie de chevalier errant.

Il hissa le corps de son oncle sur le cheval de celui-ci et lui asséna une vigoureuse claque sur la croupe, en espé-

rant que l'animal retournerait au château. Pour sa part, il sauta sur son coursier et le lança dans un galop fou, au hasard. Il allait encore plus vite que durant la chasse. Il tentait d'échapper à une chose invisible, mais celle-ci n'était pas derrière lui, elle était en lui. Il fuit ainsi, parfois somnolant ou même évanoui sur son cheval, sans mettre pied à terre pendant tout le jour.

Le lendemain, vers matines*, le jeune homme arriva près d'une grotte dans laquelle jaillissait une source qu'il connaissait sous le nom de la Fontaine-de-Soif. Les femmes des villages des alentours disaient le soir, à la veillée, qu'elle appartenait aux fées et que, parfois, on pouvait voir leurs cheveux d'or se mêler au fil de chanvre des quenouilles que les paysannes filaient au coin du feu.

Brisé par le chagrin, Raimondin descendit de son cheval et s'assit sur les pierres qui entouraient la source. Finalement, la fatigue l'emporta. Ses paupières se fermèrent doucement, et il s'endormit.

Or, immobile derrière les arbres, une jeune fée avait vu s'approcher le cavalier. Déployant les voiles blancs de sa robe vaporeuse, légère comme un souffle d'air, elle s'approcha en silence.

— Eh bien, qui est ce gentilhomme qui dort au lieu de me saluer?

Elle vint tout près de lui, mais il somnolait encore et ne sembla pas remarquer sa présence.

— Beau sire, dormez-vous vraiment? fit-elle en lui touchant la main.

Raimondin tressaillit, puis réveillé en sursaut, il dégaina son épée et la brandit devant lui.

— Beau sire, où vous croyez-vous pour commencer ainsi le combat?

Raimondin ouvrit enfin tout grand les paupières. Devant lui se tenait une jeune fille de son âge, droite et fière. Elle semblait transparente, tellement sa peau était pâle. Elle le regarda. Il la regarda.

— Où allez-vous donc à cette heure tardive? Êtes-vous perdu, beau sire? N'ayez crainte, dites-moi où vous allez et je vous remettrai sur le droit chemin.

— Il est vrai que j'ai perdu ma route, belle damoiselle.

— Raimondin, vous ne me faites donc pas confiance! répondit-elle. Je sais quel chagrin vous afflige, pourquoi chercher à me le cacher?

Stupéfait de s'entendre appeler par son nom, l'adolescent ne sut que répondre. Il était bouleversé. Si cette jeune fille le connaissait, peut-être savait-elle aussi son secret? Il se sentit encore plus malheureux.

— Raimondin, ne vous inquiétez pas! Je suis celle qui peut vous conseiller et vous rendre votre joie de vivre. Je peux faire de vous l'homme le plus valeureux, le plus riche, le plus honoré de tous.

L'adolescent frissonna. Son oncle lui avait tenu les mêmes propos, la nuit d'avant, en regardant les étoiles!

— Je sais que vous avez tué votre oncle par accident, poursuivit-elle, en lui caressant tendrement la joue sur *laquelle une larme coulait. À cause de cela, vous vous croyez criminel.*

Raimondin sentit un froid glacial l'envahir.

— N'ayez crainte, je ne vous veux aucun mal. Mais sans moi, sans mes conseils, vous ne pourrez pas vous tirer de cette triste affaire. Au contraire, si vous m'écoutez, je vous promets de faire de vous le plus grand des seigneurs et le plus riche de tous.

Philémon n'osait pas prononcer une parole. Son regard courait de la princesse Sibylle au roi Baudouin, et de dame Agnès à son maître, comme s'il voulait s'assurer qu'il avait bien deviné de quel personnage fantastique il était question. Bien sûr, la jolie damoiselle ne devait être nulle autre que la fée Mélusine; il connaissait cette histoire, mais jusqu'à ce jour, il l'avait écoutée d'une oreille distraite, sans accorder d'attention aux détails, se disant que c'était un récit de pur divertissement, le réel se mêlant à la fiction pour créer le plus bel effet. Mais cette fois, il se sentit envahi par un sentiment étrange, comme si cette aventure lui était arrivée, à lui. Était-ce dû aux révélations sur ses origines que lui avait faites Géraud un peu plus tôt?

« Peut-être est-ce à cause du sang de Mélusine qui coule dans mes veines que je ressens aussi fortement les émotions des personnages de cette histoire », songea-t-il tandis que Galiotte continuait son récit.

Belle dame, je ferai ce que vous me dites, si cela peut soulager ma souffrance. »

Elle leva vers lui ses grands yeux bleu clair saupoudrés de gris qui, sous la lune, semblaient de nacre. Sous ce regard, il sentit disparaître sa fatigue et son désespoir. Une force nouvelle l'envahit.

— Raimondin, voilà comment vous devrez agir, commença-t-elle.

Elle lui expliqua alors qu'il devait retourner au château de son oncle et ce qu'il devait dire et faire pour ne pas être accusé de meurtre. Puis elle ajouta :

— Et vous devez également vous engager à me prendre pour femme, mais surtout me promettre de ne jamais douter de moi, quoi que vous entendiez dire sur mon compte, même si on me calomnie.

Le jeune chevalier jura, car il était déjà tombé follement amoureux et savait qu'il ne pourrait plus jamais se passer de cette damoiselle au visage si pur.

— Je ferai tout ce que vous me demanderez. Et je vous prendrai pour femme. Nous nous marierons quand vous le voudrez.

— C'est bien. Mais ce n'est pas tout ! J'ai besoin d'un autre serment.

Il fut surpris, mais l'écouta.

— Promettez-moi que la nuit de chaque samedi, du coucher du soleil à l'aurore du jour suivant, jamais vous ne chercherez à me voir d'une quelconque manière, ni demanderez à quiconque où je suis et ce que je fais.

Raimondin comprit qu'il ne pouvait plus reculer. S'il refusait, il la perdrait. Alors, de nouveau, il jura :

— Je promets que jamais le soir et la nuit du samedi, je ne ferai quoi que ce soit qui vous cause préjudice. Je ne chercherai à connaître ni les raisons de votre absence, ni le lieu où vous vous trouverez, ni ce que vous y ferez.

— Très bien, fit-elle d'une voix remplie de joie. Je vous crois, Raimondin.

Puis, ils se prirent les mains et échangèrent de doux baisers. Lorsque le jour se leva, la jeune fille dit à son fiancé :

— Voici deux anneaux... Le premier vous préservera de la mort que ce soit par maladie, par accident ou par arme. Le second vous assurera la victoire dans toutes vos affaires et vos combats. Portez-les toujours sur vous !

— Les anneaux ! s'écria Sibylle, en portant sa main à son cou.

Ce fut à cet instant que Philémon comprit vraiment ce que représentait cet anel auquel la princesse semblait tant tenir. Il se mit à trembler de tous ses membres. Comment était-elle entrée en possession de ce talisman qui aurait dû lui revenir à lui, selon maître Géraud ? Il sentit tout son sang quitter son visage. Qui avait dérobé cet anel et l'avait emporté en Orient ? Que se passait-il donc ? Ses pensées se bousculaient et il n'arrivait plus à réfléchir. Sur le point de défaillir, il dut prendre de longues inspirations pour se calmer.

Philémon tourna ses yeux sombres vers son maître. Ce dernier le fixait aussi intensément. L'Hospitalier avait saisi de quoi il retournait.

Ne s'étant pas aperçue du trouble que son récit avait jeté dans l'assemblée, Galiotte, qui était entrée tout entière dans les péripéties du conte, poursuivit :

Après cet échange de serments d'amour, la fée dit à son fiancé de rentrer au château de Poitiers. Il s'approcha d'elle et la serra encore une fois.

— Je vous aime ! lui déclara-t-il.

— C'est pour cela que vous devez partir ; afin de me revenir, lavé de toute tache à votre honneur.

Il se hissa sur son cheval, puis se pencha vers elle.

— Je vous obéirai en tout, ma mie, ma douce !

Il allait s'éloigner lorsqu'il lui vint à l'esprit qu'il ne savait même pas le nom de son amour.

— Mélusine ! murmura-t-elle d'une voix mélodieuse, avant même qu'il ne prononce un mot.

— Mélusine ! bredouillèrent simultanément Philémon et Sibylle, mais si bas qu'ils ne s'entendirent pas l'un l'autre.

— C'est assez pour ce soir. Les cires tirent à leur fin. Il est temps d'aller nous reposer, décréta dame Agnès. Galiotte, vous avez un tel don pour nous narrer ces histoires qu'on croit les vivre. Il me tarde d'entendre la suite… n'est-ce pas ?

Tous acquiescèrent de la tête. Philémon et Sibylle, peut-être un peu plus vivement que les autres.

La compagnie se sépara. Le page et maître Géraud retournèrent vers l'hostellerie.

— Maître, croyez-vous que l'anel au cou de la princesse Sibylle soit celui de Mélusine ? demanda l'enfant, une fois qu'ils furent hors de la Citadelle.

— Je ne vois pas comment cela serait possible, mais voilà qui expliquerait l'embuscade sur le mont des Oliviers, répondit Géraud. Un anneau si puissant ne peut que susciter des envies.

— Oui, et rappelez-vous la phrase que j'ai entendue, maître : "La garce le porte sur elle, je l'ai vu !" Je suis sûr qu'elle se rapporte à cet anneau.

— Quelqu'un saurait donc que ce talisman se trouve ici, dans le royaume de Jérusalem, et chercherait à s'en emparer par tous les moyens, même le meurtre. Ce qui pourrait expliquer aussi les attentats contre toi. Les comploteurs pensent peut-être que tu détiens le second anel. Laisse-moi réfléchir à la question, nous en reparlerons demain.

Si Géraud était préoccupé du sort de son filleul, Philémon l'était de celui de la princesse. Son cœur battait pour elle et il se promit de la protéger, même au risque de sa vie.

11

Le lendemain, Philémon rejoignit Géraud dans la cour de l'hospice, pour sa séance d'entraînement. Pendant près d'une heure, l'Hospitalier s'attacha à apprendre plusieurs techniques de défense à son protégé. Le page était trop jeune pour que ses attaques soient efficaces, mais le chevalier ne voulait pas le lancer sur les routes du royaume de France sans un minimum de préparation. Heureusement, Grégoire d'Irfoy semblait être à la hauteur des louanges que sa mère tenait à son endroit. Maître Géraud s'était renseigné auprès du maître d'armes de la maison d'Étiennette de Milly. Grégoire pourrait être armé chevalier dans quelques semaines, il en avait acquis les compétences. Accompagner Philémon lui procurerait l'expérience dont il aurait besoin avant de revenir se joindre à l'ost* du royaume franc de Jérusalem pour combattre les Sarrasins.

Lorsque Géraud constata que son élève ne parvenait plus à lever son bouclier pour parer ses coups, il cessa l'exercice. Philémon plongea sa tête dans un baquet d'eau pour se rafraîchir, car le soleil du Levant était brûlant dès les premières heures du jour. Il s'ébroua comme un chiot mouillé, puis s'empara des armes de bois pour les ranger.

— J'ai à te parler! lui dit son maître. Allons nous installer dans les jardins, personne ne viendra nous déranger là-bas.

Ils traversèrent l'hostellerie et sortirent par la porte arrière qui débouchait sur un grand jardin où le moine Ondaric cultivait des herbes médicinales ainsi que des plantes comestibles. Ils s'assirent sur un banc, au pied d'un très vieil olivier croulant sous les fruits. Bientôt ce serait le temps des récoltes et du pressage de l'huile; c'était un moment important pour les moines et ce dur labeur se terminait toujours par une grande fête. Philémon adorait ces célébrations.

— J'ai réfléchi à ce dont nous avons discuté hier, déclara Géraud. À mon avis, le seul qui ait pu apporter l'anneau que porte la princesse Sibylle, c'est le chambellan de Jérusalem, Amauri de Lusignan.

— Vous croyez, maître? demanda le page, peu convaincu.

— Il est l'amant d'Agnès, et il clame partout qu'il est un descendant des fées. S'il l'a donné à son amante, c'est qu'il escompte quelque chose en retour.

— Vous pensez qu'il veut épouser la princesse Sibylle! fit le garçon, atterré, en serrant les poings, geste qui passa inaperçu aux yeux de son parrain.

— Non. Baudouin et la Haute Cour ne le permettraient pas. Et Agnès n'est pas partageuse. Je ne sais pas ce que le chambellan exige, mais c'est sûrement important.

— Mais, maître, vous avez dit qu'un seul anneau ne suffit plus à assurer le pouvoir...

— Non. À moins que... tu sais, Amauri est habile. Il peut chercher à faire croire qu'un seul anneau suffit à ceux qui n'en savent pas plus sur l'effet de ces talismans.

— Et quel est mon rôle dans cette histoire ?

Le garçon s'y perdait dans toutes ces suppositions et ces manœuvres des courtisans.

— J'ai bien analysé les éléments en notre possession. D'abord, Arnulf et Raimond de Tripoli ne savent pas qui tu es...

— Vous en êtes sûr ?

— Oui ! Sinon en plus de vouloir te tuer, ils auraient tenté de te fouiller. Et tu dis que le juif qui t'est venu en aide à la fontaine de Siloé a vu le Teuton s'en aller dès son forfait commis. Il n'est pas descendu près du bassin pour vérifier si tu gardais un anel sur toi, tu en es certain ?

Le page hocha la tête.

— J'ai parlé à frère Ondaric et aux autres moines, continua Géraud. Jusqu'ici, personne n'a vu Arnulf ou qui que ce soit d'autre se faufiler dans l'hostellerie. Tes effets personnels n'ont pas été fouillés, n'est-ce pas ?

Philémon confirma d'un signe de tête.

— Donc, ces deux comploteurs ne savent rien sur ton compte !

L'enfant poussa un grand soupir de soulagement et son maître lui ébouriffa les cheveux de la main. Ils gardèrent le silence quelques secondes, jusqu'à ce que le page, se sentant tout à coup envahi d'une appréhension nouvelle, laisse tomber :

— Et si des émissaires avaient déjà été envoyés dans le Poitou à la recherche du second anneau !

Géraud avait lui aussi envisagé cette possibilité. Mais il avait conclu que la vie de l'enfant serait plus menacée s'il restait à Jérusalem que s'il partait rejoindre son père et ses demi-frères. De toute façon, il était peu probable que le garçon croise le chemin d'éventuels mercenaires.

— Voilà ce que ta tante Galiotte et moi te proposons, mon neveu. Tu vas quitter le royaume de Jérusalem...

— Mais... l'interrompit Philémon.

— Non, écoute-moi jusqu'au bout. Tu vas même quitter totalement le Levant. Tu retournes dans le royaume de France, auprès de ta famille. Ton cousin Grégoire t'accompagnera. Il sera fait chevalier dans quelques semaines. Ensuite, vous prendrez la route. Le roi Baudouin t'accorde sa protection. Il te remettra un sauf-conduit qui l'attestera. Ton père et tes frères seront donc chargés de poursuivre ton éducation jusqu'à ce que tu deviennes un homme. Baudouin m'a promis d'obtenir pour toi la protection du roi de France, Louis le septième. Quand tu seras chevalier à ton tour, si tu en as toujours envie, tu seras le bienvenu dans les États latins. Nous aurons besoin de tous les vaillants volontaires qui viendront combattre. Mais pour l'heure, c'est ta vie que tu dois préserver.

L'enfant essuya discrètement une larme. Il était arrivé à Jérusalem alors qu'il n'avait pas deux ans, il n'avait connu aucun autre endroit. Ces pierres roses, ce sable doré, ce vent âpre et fou parfois, la chaleur intense des après-midi dans la Ville sainte, ces oliviers, cette odeur d'épices dans l'air faisaient partie de son être, de sa chair. Comment pouvait-il abandonner tout cela pour les forêts sombres et dangereuses, les courants d'air glacés et la pluie froide d'un pays qu'il ne connaissait que par les dires de sa défunte mère ? Que lui importait de vivre s'il devait abandonner ce qu'il avait de plus cher derrière lui ? Le nom de la princesse Sibylle lui monta aux lèvres. Comment pourrait-il vivre loin d'elle ? Comment se résoudre à ne plus entendre son rire, ne plus voir la douceur de son regard se poser sur lui, ne plus effleurer du bout des doigts un fil de soie blond échappé de sa chevelure ?

— Ne sois pas triste, mon neveu ! Ta famille veillera sur toi, tu deviendras un très bon chevalier, le digne représentant de la lignée de Mélusine. La prophétie dit qu'un chevalier issu de la descendance de la fée sauvera la Terre des Promesses, la Terre promise. Tu n'as aucun doute à avoir Philémon, tu as la marque. Tu es celui-là !

Le page ne dit mot, gardant ses regrets, ses interrogations et ses craintes au fond de lui. Enfant illégitime, il ne voyait pas du tout comment il pourrait devenir ce chevalier sans peur, ce grand combattant dont on lui parlait.

— Je t'enseignerai à te défendre au bâton, et à l'épée si j'en ai le temps avant ton départ. Grégoire continuera ta formation pendant les longues semaines de votre voyage. Ensuite, il te confiera à un maître d'armes compétent, à ton père ou à l'un de tes frères s'ils acceptent cette charge et en sont capables. J'ai prévenu frère Ondaric. À partir d'aujourd'hui, de cette minute même, tu n'es plus au service de l'ordre des Hospitaliers de Saint-Jean de Jérusalem. Tu n'agiras plus en tant que valet auprès des moines et des pèlerins malades. Tu devras consacrer toutes tes matinées à ton entraînement aux armes. L'après-midi, tu iras au palais royal pour que Galiotte t'instruise de tout ce que tu dois savoir sur Mélusine.

Philémon était muet de stupeur. Le ciel lui serait tombé sur la tête qu'il ne se serait pas senti plus assommé. Tout était décidé pour lui ; il n'avait pas un mot à dire. Il avait l'impression d'être un pion sur le damier d'un jeu d'échecs, ce divertissement de stratégie qui plaisait tant aux Arabes.

— Ne devrais-je pas au contraire éviter la Citadelle ? demanda-t-il, soucieux. Le comte de Tripoli, Arnulf… ils y entrent et sortent comme d'un moulin, je risque de les rencontrer par hasard.

Et surtout, il craignait de croiser son impossible amour. Maintenant qu'il savait qu'il devait partir, voir la princesse Sibylle serait une trop grande torture pour son jeune cœur soumis à ses premiers émois.

— Tu n'iras jamais seul au palais royal. Je t'y accompagnerai et je retournerai t'y chercher avant la tombée du jour. Bien ! Puisque c'est entendu, allons-y ! Ta tante t'attend.

M

Pendant ce temps, une ombre se glissait sous la coupole de l'église Sainte-Marie-des-Teutoniques ; elle longea le couloir latéral est, se dirigeant vers le chœur tout au bout. Devant l'autel, un homme était agenouillé. Il était visiblement en prière. L'ombre s'engagea dans la rangée de bancs derrière le dévot, et s'installa à portée de voix.

— L'enfant a réussi à prévenir la princesse et sa mère. Je ne peux plus les approcher sans éveiller les soupçons. Je crois que le jeune roi aussi est alerté. Je vais me faire discret pendant quelques semaines.

— Maladroit ! pesta l'homme en se relevant. Un enfant ! Tenu en échec par un enfant !

La lumière des cires éclaira le visage menaçant de Raimond de Tripoli.

— Il me faut cet anneau... Dans quelques semaines, la régence du royaume me reviendra. Le pouvoir sera entre mes mains.

Arnulf plissa les yeux. Comment Tripoli pouvait-il être certain de devenir régent sous peu ? Milon de Plancy avait bon pied bon œil, et il était assez fin manipulateur pour avoir concentré tous les pouvoirs royaux entre ses seules mains, faisant fi des barons et de la Haute Cour.

Comme s'il avait deviné les interrogations de son acolyte, Tripoli ajouta :

— Les barons envient et jalousent le sénéchal. Ils ne supportent plus d'être tenus dans l'ignorance des décisions qu'il prend. Plancy présume trop de ses capacités. Il est insolent envers les membres de la Haute Cour. À l'entendre, il n'y a que lui qui puisse dignement conseiller le roi. Il administre les affaires du royaume sans consulter quiconque. Cela ne peut plus durer.

— Je peux m'en occuper ! ricana Arnulf, en faisant briller la lame de son couteau à la lumière blanchâtre d'une rangée de cierges fichés dans un râtelier, sur sa droite.

— Assez de maladresse ! Fais-toi oublier, le Teuton ! gronda le comte.

Arnulf dissimula un rictus qui trahissait sa méchanceté.

— Et l'enfant ? demanda-t-il.

— Je t'ai dit de te faire oublier. L'enfant n'a plus aucune importance puisqu'il a tout raconté.

Le comte fit un geste de la main.

— Disparais de ma vue !

Le mercenaire quitta l'église en grommelant. Il ne supportait pas qu'on le prenne de haut, qu'on le traite comme un larbin, lui qui n'avait pas du tout une mentalité d'esclave.

𝔐

Comme convenu, Philémon avait rejoint sa tante. Elle le reçut dans sa propre chambre et le fit asseoir près d'elle sur un banc à dossier, au siège rembourré et recouvert d'un splendide brocart or. Ce meuble comportait deux niches séparées par des accoudoirs de bois. Il y serait à l'aise.

— Aujourd'hui, j'ai peu de temps à te consacrer, mon neveu, car la princesse Sibylle souhaite que je lui enseigne le jeu d'échecs. Écoute bien, et tâche de te souvenir de tous les détails.

Après avoir quitté sa promise, Raimondin galopa en direction du château de Poitiers. Il ne cessait de penser à sa belle dame et le vent qui soufflait à ses oreilles lui susurrait sans cesse son nom: Mélusine.

Le jeune homme chevaucha pendant plus d'une heure, puis il sortit enfin du bois de Coulombiers. À la lisière de celui-ci, il vit se dresser, derrière les hauts remparts, la magnifique ville et le château fort de son oncle. En levant les yeux, il vit flotter au mât de la tour le pavillon seigneurial écarlate et bleu. Son cœur se serra.

Tout à coup, alors qu'il approchait au trot, il entendit la cloche de la cathédrale qui sonnait le glas à six reprises. Il y eut un court silence puis, venu des campagnes alentour, monta le son des cloches des autres églises qui se joignaient à celle de la ville. Il comprit aussitôt qu'elles annonçaient ainsi la mort du seigneur Aymeri de Poitiers. Raimondin planta ses éperons dans le flanc de sa monture pour lui faire prendre le galop. Il arriva enfin au pied des remparts où se dressait un hameau constitué de quelques cabanes aux murs de terre rouge et au toit de chaume. Il entendit des lamentations et des pleurs. Il avança vers la poterne et manqua de défaillir, en se rendant compte qu'il arrivait en même temps que le cheval sur lequel il avait installé le corps de son oncle. Il frissonna en constatant la triste coïncidence.

— Misère, misère! Le sanglier a tué notre brave maître! crièrent les gardes qui accoururent pour descendre la dépouille du seigneur de sa monture.

Raimondin ne dit rien et entra dans la ville. Sa douleur était grande, mais le souvenir de Mélusine mettait un peu de baume sur son cœur blessé. À plusieurs reprises, il faillit dire que c'était son épieu qui avait tué Aymeri et non pas une défense de la bête sauvage. Mais la pensée de Mélusine l'empêcha d'avouer sa faute. Il mêla ses larmes à celle de Blanche, sa cousine, qui venait de le rejoindre près du corps du comte, maintenant étendu sur un banc, dans l'entrée de la forteresse.

Pendant que les valets se hâtaient de faire parer l'église pour les funérailles, des chasseurs arrivèrent, portant la carcasse du sanglier qu'ils avaient trouvée sur les indications de Raimondin. Hâtivement, on dressa un bûcher au milieu de la cour, devant la cathédrale, dans lequel on jeta la bête avant d'y mettre le feu. Une odeur affreuse et une fumée dense envahirent la ville.

Le lendemain eut lieu l'enterrement du comte Aymeri. Trois jours de deuil suivirent la cérémonie ; des barons, des nobles, des seigneurs vinrent de toute la contrée rendre un dernier hommage au comte de Poitiers et assurer ses enfants de leur soutien. Le jeune Bertrand reçut les honneurs et les serments de fidélité de ses nouveaux vassaux. Raimondin aurait voulu se trouver ailleurs. Sa douleur semblait si terrible qu'il ne parvenait pas à la dissimuler. Mais il avait promis à Mélusine de rester au château fort et de faire tout ce qu'elle lui avait conseillé, il tint donc parole. Quand vint son tour de rendre hommage à son cousin, le nouveau seigneur, il s'approcha, tremblant :

— Monseigneur, je vous prie d'écouter la requête que j'ai à vous adresser.

Bertrand hocha la tête pour lui signifier qu'il l'écoutait.

— Très cher cousin, noble sire, je vous demande, en remerciement des services que j'ai rendus à votre père depuis ma tendre enfance, de bien vouloir exaucer mon vœu. Il ne vous coûtera pas cher.

— Si cela peut vous faire plaisir, ce sera avec joie ! répondit Bertrand qui se désolait de voir son cousin, son meilleur ami, aussi affecté par la mort du comte.

— Je ne vous réclame ni domaine, ni ville, ni forteresse... Je n'ai rien d'autre à vous demander que de m'accorder autour de la Fontaine-de-Soif, dans la forêt de

Coulombiers, autant de place que pourra contenir une peau de cerf tendue.

— Quoi? s'étonna le jeune comte, en riant. C'est tout! Je vous l'accorde volontiers, cher cousin. Et j'ajoute que vous ne me devrez nul hommage ni redevance quelconque pour cette terre, ni à moi ni à mes successeurs. Ce don est définitif.

Le lendemain le comte Bertrand fit écrire tout cela sur un vélin par un des moines de la cathédrale, y apposa son sceau sur un beau cachet de cire et remit le tout en mains propres à Raimondin.

Le jeune homme remercia son cousin, puis s'éloigna. Il marchait dans les rues de Poitiers lorsqu'il croisa un manant qui portait une peau de cerf. Le paysan se dirigea droit vers lui et lui demanda:

— Seigneur! Voulez-vous m'acheter cette peau, afin d'en faire de belles cordes pour vos veneurs?

Raimondin tressaillit. Mélusine ne lui avait-elle pas dit de se procurer une peau de cerf? Il l'acheta donc, puis retourna vers le château. Chemin faisant, il passa devant l'atelier d'un sellier. Il s'y arrêta et demanda qu'on lui taille ce cuir, le plus menu possible, de manière à en faire un grand nombre de lanières. Puis, une fois que cela fut fait, le jeune homme retourna au château et pria son cousin de le faire accompagner par ses arpenteurs au cœur de la forêt.

En arrivant près de la Fontaine-de-Soif, ils virent des bûcherons en train de défricher. Tous s'étonnèrent, car aucun travail n'avait été prévu en cet endroit. Raimondin tira les lanières de cuir de son sac, les lia les unes aux autres et les bûcherons se mirent à en entourer une montagne de la région sur une distance de deux lieues. Ils étaient sidérés de voir combien de terre il était possible de retenir dans une simple peau de cerf. Mais le comte Bertrand avait donné sa parole, aussi personne ne s'interposa.

Tout à coup, un ruisseau jaillit devant la troupe. Incrédules, les arpenteurs le virent s'allonger, zigzaguer, jouer sur de petits cailloux, faisant chanter une eau claire et pure, puis filer à travers la vallée. Les hommes le suivirent, mais furent encore plus surpris de découvrir que ce cours d'eau s'en allait alimenter des moulins qui n'étaient pas là deux heures plus tôt, et mouiller les pieds d'une ville qui n'existait pas la veille.

Mais le texte écrit sur le vélin était clair: Raimondin était bien le possesseur de cette terre et de tout ce qui s'y trouvait. Les hommes du comte Bertrand lui confirmèrent donc ses droits, puis repartirent très vite vers Poitiers pour raconter les prodiges qu'ils avaient vus. Raimondin les suivit, car il tenait à remercier son parent.

— Dites-moi, gentil cousin, n'auriez-vous pas rencontré quelque belle dame à la Fontaine-de-Soif? lui demanda le comte.

— Il est vrai que j'ai laissé mon cœur en ce lieu, mais pardonnez-moi, beau cousin, je ne peux vous en dire plus, s'excusa Raimondin, car il avait promis à Mélusine de garder le secret sur leur rencontre et sur leur amour.

Comme Bertrand aimait beaucoup son parent, il consentit à ne pas l'interroger davantage, pour ne pas le mettre dans l'embarras. Et ce fut ainsi que Raimondin devint le seigneur de ces terres où bientôt se dressa la forteresse de Lusignan.

Philémon avait écouté la suite de la légende sans prononcer une parole, presque sans oser respirer pour ne pas en perdre un mot.

— Mélusine a donc fait la fortune de Raimondin comme son oncle l'avait prédit ! dit-il enfin. Mais... l'anneau ?

— Ne sois pas si pressé, mon neveu. Je dois maintenant courir retrouver dame Agnès et la princesse Sibylle. Et toi, il est temps que tu retournes près de ton maître. Je crois entendre le bruit de ses pas dans le couloir.

La porte de la chambre s'ouvrit à cet instant, et Géraud s'encadra dans l'entrée.

— Rentrons ! dit-il simplement.

Galiotte d'Irfoy déposa un baiser sur les cheveux de Philémon et lui caressa la nuque, à l'endroit exact où il portait la marque de la fée.

12

Les jours passèrent. Philémon continua son entraînement sous la supervision de maître Géraud. Comme Raimond de Tripoli, toujours en dispute avec Milon de Plancy, ne se montrait plus au palais, la surveillance du chevalier hospitalier se relâcha un peu. Du moins, c'était ce que croyait le jeune page. Il ne savait pas, toutefois, qu'un garde au service du roi le suivait dans tous ses déplacements. Baudouin avait promis de veiller sur lui, et il tenait parole.

Philémon se rendait désormais seul à la Citadelle et en revenait toujours avant le coucher du soleil. Au début, le garçon courait tout le long du chemin pour rentrer à l'hostellerie, avec la peur au ventre à l'idée de croiser Arnulf le Teuton, mais après deux semaines sans faire de mauvaises rencontres, il empruntait sans crainte, et même en flânant un peu, la rue Couverte ou la rue aux Herbes. Pas une fois, il ne remarqua le garde qui mettait ses pas dans les siens.

Le mois d'octobre chassa septembre. Un matin, tandis que le page s'étonnait d'un va-et-vient inhabituel dans les écuries de l'hospice, Géraud apprit à son protégé que lui-même, quelques Hospitaliers et autant de chevaliers du Temple étaient en train de former une escorte pour Milon de Plancy. Ils partaient en tournée d'inspection dans la région d'Acre, aux portes du comté de Tripoli. Philémon sentit son cœur se serrer. Il avait un affreux pressentiment.

— Soyez prudent, mon oncle ! dit-il en tendant son écu au chevalier.

— Ne t'inquiète pas. Ce n'est l'affaire que de quelques jours.

Voyant que le visage du garçon demeurait fermé et triste, il ajouta, sur le ton de la confidence :

— J'ai un petit secret à te confier : dès notre retour, les ordres de chevalerie procéderont à l'adoubement des nouveaux chevaliers. Ton cousin Grégoire sera parmi eux, mais surtout ne lui dis rien. Pour le moment, il est toujours écuyer et il vient avec nous dans le nord du royaume.

Philémon promit, mais le cœur n'y était pas. Il aimait les fêtes, les tournois, les cavalcades des preux, les combats à l'épée ou au fléau, mais cette fois, il était trop soucieux pour apprécier les célébrations à venir.

— J'ai prévenu frère Ondaric, tu t'installes chez ta tante jusqu'à mon retour !

— Mais…

— Pas de discussion. Je serai plus rassuré de te savoir tout près du roi. Baudouin a promis de veiller sur toi.

« Tout près du roi, mais aussi tout près de sa sœur ! » songea Philémon. Des émotions contradictoires se bousculaient en lui. Bien sûr, il était heureux de côtoyer la princesse mais, paradoxalement, il en souffrait aussi. Il ne comprenait rien aux sentiments qui le bouleversaient.

M

La troupe sortit de la ville par la porte de David, juste au pied de la tour du même nom. Philémon resta longtemps sur les remparts à guetter les cliquetis des harnachements et des armes, les renâclements des chevaux, la poussière soulevée par le détachement ; il n'arrivait pas à chasser cette anxiété qui lui oppressait la poitrine.

Finalement, lorsque l'armée ne fut plus qu'un petit point à l'horizon, il retourna au palais royal où Galiotte d'Irfoy l'attendait. Elle avait promis de lui parler du mariage de Mélusine et de Raimondin. Voilà qui chasserait peut-être sa tristesse.

— Après avoir obtenu ses terres de la façon dont je t'ai conté, reprit Galiotte, Raimondin retourna auprès de la belle Mélusine dans la forêt. Elle l'attendait près de la Fontaine-de-Soif.

« Je suis heureuse de voir que vous savez garder nos secrets, mon ami! le complimenta-t-elle. Si vous continuez, vous n'en tirerez que du bien. »

— Vos secrets sont les miens, belle dame, répondit le jeune homme.

Mélusine se mit à rire.

— Mais je ne vous en dirai point d'autres, tant que vous ne m'aurez pas épousée, bel ami.

— Je suis prêt! s'enthousiasma Raimondin, en se jetant aux pieds de sa promise.

— Pas aujourd'hui. Pas de cette façon. Écoutez-moi. Vous allez retourner à Poitiers et vous prierez votre cousin et sa mère de nous faire l'honneur d'assister à nos épousailles, en ce lieu, lundi prochain. Ils verront de leurs propres yeux tout ce que je peux faire pour vous. S'ils vous interrogent sur ma personne, dites-leur seulement que je suis fille de roi. Mais je vous en supplie, pour l'amour de moi, ne leur en dites pas plus.

— Je vous le jure!

— Très bien. Conviez le nombre de personnes qu'il vous plaira. Toutes seront bien reçues et logées. Mais pour ce soir, venez...

D'un geste, elle lui désigna une grande maison en retrait de la fontaine, qu'il n'avait pas encore remarquée. Elle lui prit la main et le conduisit à l'intérieur. Jamais Raimondin n'avait vu une si somptueuse demeure. Dans une grande salle, plus grande encore que la pièce de bal du château de Poitiers, il vit des dames et des chevaliers qui dansaient. Dès qu'ils approchèrent, des hérauts se placèrent sur deux rangs pour leur faire une haie d'honneur et se mirent à jouer du cor. Raimondin remarqua qu'ils étaient tous pareillement vêtus de bleu pâle et blanc. Mélusine le conduisit sous un grand dais bleu foncé brodé d'argent où était installé un lit à deux places. Elle l'invita à s'allonger. Quand cela fut fait, elle fit un signe de la main et la pièce se vida. Lorsque les grelots du dernier nain qui referma la porte se turent, Mélusine ouvrit ses bras et Raimondin s'y blottit. Ils passèrent la nuit ainsi l'un contre l'autre à se murmurer des mots d'amour.

Au matin, comme il l'avait promis, le chevalier repartit vers Poitiers pour inviter sa famille et ses amis à ses noces. Il n'avait aucun doute sur l'amour qu'il portait à sa dame ou sur celui qu'elle ressentait pour lui. Il n'en revenait tout simplement pas de sa chance.

À son arrivée à Poitiers, il demanda audience au comte Bertrand qui s'empressa de le recevoir.

— Cher cousin, cher sire, j'ai l'honneur de vous demander de venir lundi prochain, à la Fontaine-de-Soif, pour mes épousailles, et je vous prie de bien vouloir y emmener votre mère, votre sœur et toute votre cour.

Bertrand ne put cacher sa surprise.

— Eh bien, vous croyez-vous étranger à ma famille pour nous avoir ainsi caché que vous aviez choisi une femme de ce pays? Je trouve cela décevant et surtout incompréhensible de ne pas avoir été averti plus tôt.

— Cher cousin, je comprends très bien votre déception, mais je sais qu'elle est motivée par l'amour que vous me portez. Vous me voyez navré de vous causer de la peine. Mais sachez que je vais là où mon cœur m'appelle...

Bertrand afficha une triste mine.

— Je ne vous comprends plus, Raimondin. Au moins, apprenez-moi le nom et la lignée de celle qui vous arrache ainsi à notre famille.

— Je suis bien embarrassé de vous répondre, cher cousin, car voyez-vous, je ne me suis point encore enquis de ces détails.

— De ces détails? Par la peste noire, Raimondin! C'est de la folie. Vous vous mariez et vous ne savez pas avec qui! fit Bertrand, en colère.

— Monseigneur, puisque je peux me contenter d'en savoir le minimum, cela ne devrait-il pas vous suffire aussi? répondit Raimondin qui prenait de l'assurance. Je ne prends femme ni pour vous ni pour la cour, mais bien pour moi-même. N'est-ce pas moi que cela regarde, beau cousin?

Bertrand ricana.

— Vous parlez bien, beau cousin. Peut-être devrais-je vous imiter et trouver moi aussi une épouse dans les plus brefs délais? Tenez, pour vous prouver que je ne vous tiens pas rigueur de votre insolence malgré mes réserves, je vous le promets, j'irai à vos noces, et je m'y rendrai avec les miens et toute ma cour, comme vous m'en avez prié. Je suis bien curieux de voir votre femme, de la connaître et de l'aimer comme je vous aime. Je vous sens heureux, alors je le suis également.

Raimondin mit un genou à terre, prit la main de son cousin et en baisa le grenat rouge foncé qu'il avait au doigt. Bertrand tenait de son père cette escarboucle, symbole de son pouvoir.

— Je suis assuré que lorsque vous verrez ma dame, vous l'aimerez aussi !

Bertrand se leva, prit son cousin par l'épaule et comme autrefois, ils allèrent disputer une partie de cartes jusqu'à l'heure du souper.

Le lendemain, Bertrand prévint toute la cour des noces futures de son cousin dont Hugues, le comte de Forez et frère aîné de Raimondin, que ce dernier n'avait pas jugé bon de tenir au courant.

Aussitôt les questions fusèrent. La curiosité était forte, mais le jeune chevalier ne leur en dit pas plus qu'à son cousin Bertrand. Pour ne pas céder à la tentation, il s'enferma dans le souvenir de Mélusine. Puis il repensa à tous les événements qui s'étaient succédé depuis que, par un malheureux concours de circonstances, il avait tué son oncle. C'était moins de douze jours plus tôt.

Ce soir-là, il grimpa sur les remparts de Poitiers. Le regard tourné vers le ciel étoilé, il songea aux propos d'Aymeri au sujet des astres et du destin qui serait le sien. Soudain, Raimondin crut sentir une présence derrière lui. Il se retourna. Dans la brume qui se levait, il lui sembla distinguer la silhouette de son oncle tant aimé.

Il frissonna. Il murmura pour lui-même, en fermant les paupières:

— Monseigneur, vous à qui je dois tout par votre mort, pardonnez-moi! Ah, si vous pouviez revivre et être là près de moi! Comme j'aimerais de nouveau vous serrer dans mes bras!

Il ouvrit les yeux et crut réellement qu'Aymeri était revenu et se tenait à deux pas de lui. Il vit celui-ci porter un doigt à ses lèvres, comme pour lui demander le silence.

À cet instant, il comprit que Mélusine avait eu raison de lui recommander de ne pas avouer que c'était son épieu qui avait traversé le corps de son oncle et non une défense de sanglier. Rasséréné, il songea que désormais il était prêt à affronter toute éventualité.

Les torches furent allumées dans la salle du souper, et un garde vint le chercher pour l'y conduire.

Galiotte se tut. Il lui avait semblé entendre un bruit à la porte. Comme si quelqu'un écoutait en cachette. Elle mit un doigt sur ses lèvres et tout en reprenant son récit, elle s'approcha de la porte.

Comme convenu, le lundi, Raimondin chevauchait en tête de la troupe, porté par la hâte de retrouver Mélusine. En s'approchant de la montagne, il remarqua des tranchées et des abattis qui n'étaient pas là deux jours plus tôt.

D'un geste sec, Galiotte souleva le loquet. Des bruits de pas précipités résonnèrent sur les dalles du plancher. Assurément, le guetteur portait des semelles de bois ; c'était donc un valet et non un noble. Galiotte regarda au bout du couloir, mais elle vit seulement un pan de vêtement sombre tourner le coin du corridor. Impossible d'identifier qui que ce soit avec si peu d'indices. Pour ne pas effrayer son neveu, elle referma la porte en disant :

— Hmm ! Mes oreilles me jouent des tours. Il n'y avait personne !

Philémon ne fut pas dupe : il avait entendu lui aussi les galoches marteler le sol. Il inspira profondément pour calmer les battements de son cœur. Il s'était cru en paix depuis plusieurs semaines, mais apparemment ses ennemis ne lâchaient pas prise. Tripoli et Arnulf avaient sans doute soudoyé un serviteur pour l'espionner. Galiotte et Géraud avaient peut-être raison, son salut était dans la fuite. À force d'y penser et de réfléchir, il avait presque hâte de quitter Jérusalem et de vivre de grandes aventures. Il n'en doutait pas, la route vers le pays des Ardennes ne serait pas un long fleuve tranquille. Les péripéties, nombreuses, et le danger seraient au rendez-vous chaque jour.

Galiotte vint se rasseoir à sa place sur le banc à deux places où ils avaient maintenant l'habitude de s'installer, et poursuivit son récit comme si de rien n'était :

Le ruisseau du domaine était devenu rivière dans laquelle s'ébattaient des milliers de poissons de plusieurs espèces. Les ailes des moulins tournaient et tournaient encore, tandis que des paysans se pressaient avec leurs charrettes remplies à craquer de beau blé d'or à faire moudre. Ils continuèrent d'avancer jusqu'à une prairie où ils découvrirent maints pavillons bleu pâle et blanc. Lorsqu'ils s'approchèrent, une nombreuse cour sortit de sous les chapiteaux. Elle vint saluer Raimondin et s'empressa de recevoir le comte Bertrand et sa famille.

Le chevalier faillit mourir de surprise en découvrant dans le prolongement de la grotte abritant la Fontaine-de-Soif, une chapelle qui semblait sortie de la pierre pour entourer la source.

Raimondin et Bertrand s'avancèrent, côte à côte. Un chevalier vint vers eux, monté sur un cheval noir. Il était très vieux et portait des vêtements magnifiques retenus par des fermoirs d'or. Il s'approcha du comte Bertrand.

— Sire très puissant, damoiselle Mélusine d'Albanie vous remercie de votre auguste présence et du très grand honneur que vous lui faites en venant assister à ses épousailles avec votre noble cousin.

— Je fais ce que je dois, par amitié pour Raimondin. Nul besoin de remerciements pour cela, messire! Je ne croyais pas trouver si près de chez moi, une damoiselle si bien établie, et une si belle cour.

— Sire, s'il plaisait à la damoiselle, elle aurait encore plus. Il lui suffit de demander, répondit le vieil homme.

En parlant, ils arrivèrent au pavillon destiné au comte de Poitiers. C'était le plus beau et le plus somptueusement décoré. La mère de Bertrand et sa sœur furent conduites *avec leur entourage dans un pavillon de drap d'or décoré de perles et de pierres précieuses. Partout dans le campement résonnaient des airs de musique joués avec brio par des musiciens de grand talent.*

Chacun fut logé ensuite selon son rang. Les chevaux furent conduits dans des grandes tentes qui leur serviraient d'écuries. Une multitude de palefreniers s'empressa autour d'eux pour les soigner, les abreuver et les nourrir. Tous s'interrogeaient sur l'origine de tant de biens et de richesses.

Lorsque les dames furent reposées et changées, elles allèrent retrouver Mélusine dans son propre pavillon. Jamais elles n'en avaient vu de si beau. Jamais elles n'avaient vu plus belle fiancée non plus. Puis le comte de Poitiers et l'un de ses conseillers, le comte Hugues de Forez, frère aîné de Raimondin, vinrent chercher Mélusine pour la conduire dans la chapelle où son futur mari l'attendait. Un évêque recueillit alors leur mutuel consentement et les unit.

— Voilà, c'est tout pour l'instant, mon neveu. Ce soir, à la veillée, je te décrirai les tenues des dames et des chevaliers, la magnifique fête, les mets somptueux et les airs de musique, jusqu'à ce qu'un majordome avisé vienne prévenir Mélusine et Raimondin de se lever pour amorcer les danses, les jeux et les joutes.

« Je te dirai comment le vieux chevalier de Mélusine réussit à défaire les uns après les autres tous les jeunes nobles de la cour de Poitiers. Puis comment Raimondin, tout de blanc vêtu, jeta à terre son frère, son cousin et tous les chevaliers du Poitou qui acceptèrent de se mesurer à lui. Il remporta les honneurs et tous reconnurent qu'il avait excellé.

« Maintenant, mon neveu, il est temps de te rendre auprès de Baudouin qui souhaite jouer avec toi pendant quelques heures. Notre pauvre petit roi a si peu de distraction dans ce grand palais qu'il est bien heureux d'avoir un compagnon de son âge pour s'amuser un peu. »

— Je suis aux ordres de mon roi ! À ce soir, ma tante !

13

Une semaine passa sans que Philémon ait l'occasion d'entendre la suite de l'histoire de Mélusine, car le jeune roi le retenait souvent jusqu'au cœur de la nuit. Les deux garçons jouaient aux cartes ; Baudouin enseignait le jeu d'échecs à son protégé ; ils jouaient de la musique ou montaient à cheval, partant en randonnée autour de la Ville sainte, escortés par une troupe de cavaliers du palais. Parfois, le souverain était au plus mal et Philémon le veillait, s'attachant à lui appliquer des baumes à base de plantes que Yâsîn confectionnait avec les herbes cultivées par frère Ondaric. Baudouin n'avait confiance qu'en Philémon et l'envoyait chercher des simples à l'hostellerie.

Quand il se sentait mieux, le roi expliquait au page comment on dirigeait un royaume. Ces jours-là, Philémon bâillait et s'ennuyait.

Et puis, un matin, il y eut du nouveau. Une troupe de bateleurs arriva au palais. Ces baladins faisaient la tournée des forteresses croisées pour divertir les dames et les enfants. Ils installèrent leurs tréteaux et leur pavillon dans la cour de la Citadelle. Parmi les jongleurs et les ménestrels, un magicien maure enchanta le personnel de la forteresse. Bien vite, tous les soldats qui n'étaient pas de garde se massèrent autour des amuseurs. Même les sentinelles qui veillaient sur les créneaux ne purent s'abstenir de quelques coups d'œil intéressés vers la cour. Le magicien se montrait habile et ses astuces étaient spectaculaires. Les foulards apparaissaient et disparaissaient entre ses mains. Ses tours de cartes en laissaient plusieurs perplexes. Mais le clou du spectacle fut les colombes qui sortirent de son keffieh, ce carré de tissu plié en triangle et retenu par un lien porté sur la tête par les Bédouins.

Attirées par les applaudissements et les vivats, Agnès et Sibylle se penchèrent à la fenêtre de la tour pour s'enquérir de l'origine de cette joie soudaine. Sous leurs yeux ébahis, le magicien fit disparaître un petit singe vêtu de vert et le fit réapparaître dans une cage dissimulée sous un drap noir.

— C'est une merveille ! s'exclama Sibylle, en battant des mains. Je veux que ce Maure nous divertisse pendant le souper.

— Tu as raison, réservons cette surprise à ton frère. Il en sera si heureux, répondit Agnès en agitant la main pour féliciter les bateleurs.

Puis, la comtesse appela un laquais et lui transmit ses ordres. Les amuseurs furent conviés dans la grande salle commune pour la soirée.

Il y eut beaucoup de monde ce soir-là au souper. Outre Philémon, tous les barons présents à Jérusalem étaient invités. On y vit même le chambellan Amauri de Lusignan et le connétable* Onfroy de Toron. Pendant le festin qui avait été préparé pour l'occasion, le magicien démontra tout son talent. Personne ne parvenait à percer ses secrets, même si tous s'y essayaient. Grumot, le nain préféré de Sibylle, alla même jusqu'à se planter devant l'illusionniste, scrutant chacun de ses gestes, et agitant ses grelots chaque fois que la magie du Maure déjouait sa compréhension, c'est-à-dire à chacun de ses tours. Mais le nain ne faisait pas que surveiller les mains du baladin ; il avait remarqué qu'en déployant ses astuces, le magicien jetait des regards impatients en direction de la table des souverains. Qui guettait-il ainsi ? Il semblait attendre quelqu'un, ou espérait-il un signe ? Le bouffon se mit à surveiller l'escamoteur tout autant que les invités d'honneur de Baudouin. Soudain, il vit Amauri de Lusignan porter une main au côté droit de son nez, comme s'il essuyait une goutte de sueur. Était-ce un signal ? Et ce geste du mouchoir que venait de faire le connétable ? Et cette timbale que Philémon avait renversée en piquant d'une grande fourchette de service une demi-poularde dans le plat en face de lui ? Les yeux de Grumot passaient d'un personnage à l'autre, revenant toujours au visage du magicien, guettant le moindre changement sur ses traits.

Tout à coup, il surprit un mouvement sous une tenture. Quelqu'un était caché là ! Puisque personne ne lui accordait d'attention, le bouffon se glissa vers la tapisserie dont un pan bougeait encore.

Le morceau d'étoffe s'écarta brusquement et un échanson* surgit par la porte dissimulée derrière : il portait des pichets de vin et d'hypocras, une boisson sucrée où l'on infusait de la cannelle et du girofle. Le nain remarqua que le serviteur s'était arrêté une demi-seconde pour hocher la tête en direction du magicien. Grumot leur jeta à tous deux un coup d'œil suspicieux, puis s'intéressa de plus près au bateleur. Ce dernier venait tout juste de faire disparaître et réapparaître son petit singe vêtu de vert. C'était le dernier numéro de sa prestation. Les applaudissements fusèrent. Le roi détacha de sa ceinture une bourse qu'il jeta au baladin. Ce fut le singe qui l'attrapa, ce qui déclencha de nouvelles acclamations et de nombreux rires.

Le magicien se courba pour saluer la compagnie, en portant la main droite à son cœur, puis sortit par la porte dérobée qui venait de livrer passage à l'officier chargé des boissons. Après avoir déposé les pichets sur la table, devant les invités, l'échanson s'en alla à son tour. Le nain se faufila derrière lui. Dès qu'il eut franchi la tapisserie, il ôta rapidement son bonnet à grelots pour éviter d'être repéré. Il vit le serviteur s'approcher du magicien qui était en train de remballer ses accessoires dans une énorme caisse. Grumot se cacha derrière un grand coffre où était entreposé le linge de maison. L'échanson regarda autour de lui, surveillant le couloir désert.

— Tu l'as bien vu ? demanda l'officier.

Le magicien acquiesça de la tête.

— Surtout ne te trompe pas… C'est encore un enfant, mais il est important que tu réussisses. Mon maître n'acceptera aucun échec.

Les individus parlaient bas ; heureusement, le bouffon était assez près pour les entendre distinctement. Les propos des deux hommes le firent frissonner. Il attendit qu'ils s'éloignent ; il était ému et se sentait faible. Les mots de l'échanson résonnaient dans ses oreilles. Sa mémoire lui ramena le geste de l'officier en train de poser les pichets sur la table d'honneur. Son cœur fit trois tours ; ses petites jambes difformes le propulsèrent hors de sa cachette, comme ces poupées mécaniques jaillissant d'une boîte qu'il avait vues un jour parmi les marchandises d'un commerçant arménien. Le nain courut de toutes ses forces, manquant de s'étaler à plusieurs reprises, avant d'atteindre la porte menant à la grande salle. Il écarta la tapisserie d'un geste vif, ce qui attira l'attention des convives. Sans explication, il se précipita vers la tablée ; son cœur battait à une vitesse folle. D'un bond, il se hissa sur la table, avisa les deux pichets et d'un revers de la main les projeta sur le sol, où ils éclatèrent en mille morceaux, laissant échapper leur contenu sur les dalles de pierre. Des protestations et des cris montèrent. Amauri de Lusignan lui décocha un coup de poing qui l'envoya bouler en bas de la table, mais le nain n'en avait que faire. Il était fou de joie d'avoir sauvé son jeune roi.

Philémon voulut aider Grumot à se relever, mais ce dernier fit une cabriole et courut se réfugier aux pieds de sa maîtresse.

— Qu'est-ce qui t'a pris ? gronda Sibylle, en fronçant les sourcils.

— J'ai surpris une conversation entre l'officier du gobelet et le magicien, maîtresse ! Ils complotaient contre notre roi.

Agnès de Courtenay, qui avait tout entendu, attrapa le nain par le col et le força à se mettre debout.

— Explique-toi !

Grumot relata ce qu'il avait vu et surtout entendu.

— Le domestique a-t-il mentionné le nom de Baudouin ou le mot « roi » ? l'interrogea la comtesse.

Grumot secoua la tête. Maintenant qu'on l'obligeait à repenser à la scène surprise dans le couloir, il paraissait moins convaincu qu'il s'agissait d'un attentat contre le roi.

Des enfants, il y en avait deux à la table d'honneur : le roi et son compagnon de jeu. À cet instant, Grumot songea qu'il avait peut-être fait une erreur sur la personne. Il grimaça et joua à l'idiot dans l'espoir de se faire pardonner sa bévue. Lorsqu'il vit que ni Sibylle ni dame Agnès ne songeaient à le punir de ses bêtises, il jugea préférable de se faire oublier. Il quitta la grande salle et se réfugia sur sa paillasse, dans la chambre de sa maîtresse.

Galiotte d'Irfoy n'avait pas perdu une seule parole du nain. Aussitôt, elle avait compris que c'était la vie de Philémon qui était menacée et non celle de

Baudouin. Le serviteur n'aurait pas pris le risque de verser du poison dans les boissons sans savoir qui allait les consommer. Non, il avait simplement fait en sorte de désigner son neveu aux regards du magicien maure. Le danger n'était donc pas écarté. Toutefois, elle continua de s'interroger.

D'où venait cet escamoteur ? Qui l'avait envoyé au palais royal ? Pourquoi chercher à éliminer le garçon maintenant qu'il avait parlé de ce qu'il avait entendu dans la ruelle et qu'il avait identifié Arnulf ? Était-ce par vengeance que le mercenaire teuton ou le comte de Tripoli voulait se débarrasser de lui ? Il ne pouvait en être autrement. Ni l'un ni l'autre ne semblait être au courant de la marque de Mélusine sur son crâne. Galiotte ne comprenait pas la raison de cet acharnement contre son neveu. Aurait-il entendu ou vu autre chose dont il n'aurait pas parlé ? Une chose dont il ne connaissait pas l'importance ? À moins que ce soit un événement ou une parole qu'il ait oublié ? Et Géraud qui n'était pas à Jérusalem… Elle aurait aimé prendre son avis.

Elle tourna la tête vers Philémon ; il discutait avec le roi, mangeait, riait, sans se douter que la mort rôdait encore autour de lui. Galiotte s'apprêtait à croquer quelques amandes lorsqu'elle suspendit son geste. Un serviteur se tenait derrière la tapisserie, et gesticulait, tentant de se faire discret malgré tout. À qui pouvait-il bien s'adresser ainsi ?

Amauri de Lusignan se leva, se dirigea vers la porte dérobée et sortit derrière le valet. Il se produisait des événements étranges ce soir. Galiotte ne savait que faire. Puis, elle eut une inspiration. D'un geste, elle fit comprendre à Agnès de Courtenay qu'elle devait se rendre aux latrines d'urgence et quitta la salle précipitamment, par la même porte que le chambellan. Elle l'aperçut d'ailleurs au bout du couloir et se décida à le suivre. Sûr de lui, l'homme ne prit aucune précaution particulière pour s'assurer de ne pas être espionné. Enfin, il s'arrêta et elle vit l'échanson que le nain avait dénoncé. Les deux hommes échangèrent quelques mots. Lusignan semblait furieux. Il était rouge et postillonnait. Il saisit l'officier du gobelet par le col de sa tunique et le secoua en criant qu'il ne voulait plus que cela se reproduise.

— J'exige la discrétion ! fit-il en articulant à outrance. Si l'on vous surprend encore une fois, toi ou le magicien, vous n'aurez pas le temps d'apercevoir la lame qui vous tranchera la gorge.

Il pivota. Galiotte eut juste le temps de se réfugier dans la petite pièce des latrines. Elle y resta plusieurs minutes, à se triturer les méninges, malgré les odeurs nauséabondes qui la prenaient à la gorge. Elle n'y comprenait rien.

Lorsqu'elle fut convaincue qu'Amauri de Lusignan n'était plus dans les parages, elle se glissa hors de sa cachette. En entrant dans la salle à manger, elle s'arrêta quelques secondes pour se laver les mains dans un bassin où les valets avaient mis la vaisselle à tremper, puis retourna à sa place. Le chambellan était en train de s'entretenir avec le roi. Il ne lui accorda aucune attention.

Des musiciens arrivèrent avec leurs luths et leurs rebabs, des instruments à une seule ou deux cordes et à archet avec un manche d'inspiration arabe, ainsi que des tymbres qui ressemblaient à de petites cymbales. Un jeune homme s'avança, un tambourin posé sur le bras gauche, et se mit à frapper la peau tendue avec un petit bâton prolongé d'une boule. Le joueur de flûte entra dans la mélodie à son tour. Des danseuses firent leur apparition et leurs voiles transparents s'agitèrent en rythme; leurs gestes amples des bras et des jambes décrivaient de gracieuses arabesques. La fluidité de leurs mouvements leur donnait un air de légèreté très prisé des spectateurs de la cour. Les conversations cessèrent et tous apprécièrent le spectacle.

Philémon était heureux. Voilà bien longtemps qu'il n'avait pas assisté à une pareille soirée, qu'il n'avait pas vu de tels divertissements. En y réfléchissant, il se dit même qu'il n'avait jamais participé à une fête aussi grandiose. Il songea qu'il aurait beaucoup de choses à raconter à maître Géraud.

Des pensées similaires occupaient Galiotte. Elle aussi en aurait long à dire, mais il s'agissait de confidences bien différentes de celles de son neveu…

La soirée se poursuivit jusque fort tard dans la nuit. Des troubadours vinrent chanter leur poésie, faisant l'éloge des chevaliers célèbres des temps passés. L'un d'eux poussa même la fantaisie jusqu'à fredonner des airs comiques qui firent rire aux larmes toute l'assemblée. La nourriture avait été abondante, et le vin et l'hypocras ayant coulé à flots, plusieurs invités s'endormirent sur le bord de la table; leurs ronflements et leurs pets sonores et plutôt malodorants ajoutèrent à l'hilarité des autres convives, passablement éméchés.

Philémon s'était endormi, la tête sur les genoux de Galiotte d'Irfoy. Cette dernière lui caressait les cheveux lorsqu'elle aperçut un air mauvais sur les lèvres d'Amauri de Lusignan. Il fixait le garçon de ses sombres yeux noirs. Elle n'eut plus aucun doute; le chambellan en voulait à son neveu. Mais pourquoi?

14

Le lendemain, dès la première messe du jour entendue, Galiotte jugea qu'il était temps de parler au roi. Baudouin tenait beaucoup à Philémon et avait juré de le protéger. Elle craignait aussi que le magicien ne s'escamote lui-même et disparaisse de la forteresse avant que cette histoire ne soit tirée au clair. Elle s'approcha du jeune roi, qui était venu prier, avec son seul valet de chambre pour compagnie, dans la chapelle de la Citadelle.

Après s'être enquise de la tranquillité de sa nuit, elle tenta de lui restituer mot pour mot ce que le nain Grumot avait entendu et ce qu'elle-même avait ouï la veille.

— Dame, vous n'y pensez pas! s'écria Baudouin. On ne peut pas accuser Amauri de Lusignan, un haut seigneur du royaume, sur la base de preuves si minces. Il ne m'a pas menacé nommément, pas plus que Philémon. Il aurait beau jeu d'inventer une histoire plausible qui nous plongerait dans l'embarras.

— Sire ! Faites au moins saisir le magicien et l'officier du gobelet. Il faut les empêcher d'agir, supplia Galiotte.

— Sous quel motif ?

— Monseigneur, vous êtes le roi. Vous n'avez pas besoin de prétexte.

Malgré sa jeunesse et sa maladie, considérée comme impure et incurable, Baudouin n'avait pas pour habitude de se faire dicter ses actes. Il ne se laissait jamais attendrir par la pitié qu'il inspirait et ne s'apitoyait guère non plus sur le sort des autres.

Il fit les cent pas dans la chapelle, réfléchissant. Philémon n'avait exprimé aucune crainte à le côtoyer chaque jour, au contraire de certains qui croyaient que sa lèpre était contagieuse, même si Yâsîn et frère Ondaric affirmaient le contraire. Ses mires lui avaient simplement recommandé de ne pas éternuer ni postillonner, pour éviter de projeter des sécrétions buccales ou nasales. Ce à quoi il s'évertuait toute la journée, surtout en présence d'autrui. À sa connaissance, il n'avait contaminé personne à ce jour.

— Très bien. Je vais le faire pour Philémon ! finit-il par dire.

Il se tourna vers son valet de chambre, toujours à portée de voix.

— Je veux voir le capitaine de la garde ! ordonna-t-il.

Le valet s'inclina et sortit pour faire chercher l'officier.

Baudouin quitta la chapelle et se rendit à sa chambre, escorté de Galiotte. Le valet vint l'y retrouver avec le chef de sa garde personnelle.

— Capitaine Adhémar ! Arrêtez le magicien maure et l'officier du gobelet de service à ma table hier soir, puis séparez-les. Jetez l'officier dans la fosse de l'église Saint-Pierre. Nous verrons bien si, comme l'apôtre Pierre qui y a été précipité par Hérode, il sera délivré par un ange. Et le magicien... hmm ! menez-le dans la tour de David.

— Doit-on procéder à des interrogatoires, sire ? s'informa le capitaine.

Baudouin soupesa la question quelques secondes.

— Effrayez-les d'abord. Si cela ne leur délie pas la langue, utilisez les moyens à votre disposition pour les faire parler. Je veux savoir qui menace la vie de Philémon de Hierges, et pourquoi. Allez !

Adhémar exécuta à la lettre les ordres du roi. Une douzaine de gardes entrèrent dans le pavillon des bateleurs et tirèrent le magicien de ses rêves de gloire. L'échanson fut jeté dans la fosse, comme le roi l'avait commandé.

— Aucun ange ne viendra te sortir de là, ricana le garde qui le précipita dans le trou.

Quant au magicien, piques pointées entre ses omoplates, deux soldats lui firent gravir les marches menant aux remparts.

— Connais-tu le fouet, Sarrasin ? ricana le premier. On verra si tu pourras en escamoter les cordes bien serrées qui viendront te chatouiller le dos.

— Si tu ne réponds pas aux questions, on t'attachera et tu seras hissé au plafond. On suspendra ensuite des poids très lourds à tes pieds, pour t'étirer lentement, et on relâchera le tout… Sauras-tu disparaître, magicien ? se moqua le second.

L'amuseur garda la tête droite, marchant au supplice sans plainte ni supplication.

À moins de dix pas de la porte qui s'ouvrait dans la muraille de David, le premier garde adressa encore quelques quolibets au prisonnier, sans succès. Mais brusquement, le Maure fit un pas de côté et, sans crier gare, sauta dans le vide. Les soldats crièrent. La chute de près de quarante pieds fut mortelle.

Lorsque le roi apprit ce qui s'était passé, il entra dans une fureur noire.

— Faites parler l'échanson, hurla-t-il au capitaine Adhémar venu l'avertir du suicide du magicien.

Le chef des gardes s'éloigna et Baudouin resta seul avec ses pensées. Pourquoi le magicien avait-il sauté du haut des remparts ? C'était incompréhensible. S'il était mercenaire, il n'aurait pas craint la torture et aurait choisi de mourir au supplice plutôt que de parler. Était-ce possible qu'il n'ait été qu'un simple baladin, comme il le prétendait ? Que craignait-il ? Baudouin se remémora les paroles que Galiotte d'Irfoy lui avait rapportées.

« Bien sûr, c'est évident, se dit le roi. Le magicien a eu peur de se faire trancher la gorge comme l'en a menacé Amauri de Lusignan. Il a dû juger plus digne de se tuer à la vue de tous, plutôt que d'être égorgé un jour ou l'autre, dans quelque coin sombre de Jérusalem. Argh ! Et si l'échanson commettait le même geste désespéré ? »

Baudouin se persuada que le capitaine Adhémar serait vigilant. Une heure plus tard, le chef des gardes vint au rapport.

— L'échanson a été fouetté, sire. Il affirme qu'un homme de la maison de Lusignan lui a demandé de désigner messire de Hierges à l'attention du magicien. Il ne sait pas pourquoi. Il jure sur la Vraie Croix* qu'il n'en sait pas plus.

— Vous l'avez menacé du tourment ?

— Suffisamment pour lui faire peur, monseigneur. Ce n'est qu'un officier du gobelet... il a craqué rapidement. Il dit la vérité.

— Très bien ! Laissons-le croupir dans la fosse pendant quelques jours. Ensuite, vous l'enverrez à la léproserie Saint-Lazare pour qu'il s'occupe des malades. Je ne veux plus le voir dans Jérusalem.

Deux semaines s'écoulèrent. Tout était revenu à la normale dans la Citadelle. Philémon et Baudouin passaient beaucoup de temps ensemble, étudiant, s'amusant, discutant. Et puis un jour, un grand émoi agita les gardes de la porte de David. Ils avaient d'abord détecté un nuage de poussière à l'horizon. Croyant à une attaque surprise des Sarrasins, l'alerte avait été donnée. Mais plus le nuage se rapprochait, plus ils se rendirent à l'évidence : c'était un homme seul qui arrivait du nord-ouest à brides abattues.

Le cavalier entra dans la Ville sainte sans ralentir, contourna la muraille de la Citadelle et s'engouffra dans la cour du palais royal. Il se jeta à bas de sa monture, et sans prendre le temps de secouer la poussière de son manteau, se précipita dans l'escalier donnant accès aux appartements royaux. Quelques gardes le reconnaissant le saluèrent, mais constatant sa fébrilité et la tristesse qui marquait son visage, ils le laissèrent passer sans l'interroger.

Le messager ne s'arrêta qu'une fois parvenu devant la porte du roi pour retirer son casque, reprendre son souffle et attendre d'être introduit par le garde de faction dans le couloir. Dès qu'on lui ouvrit, il se précipita à genoux aux pieds de Baudouin qui était assis à une table, en train de déchiffrer un texte en latin en compagnie de Philémon et de Guillaume de Tyr.

Le messager ne sembla pas remarquer la présence du page et du chancelier de Jérusalem. Philémon reconnut son cousin, Grégoire d'Irfoy, mais jugea préférable de se taire.

— Sire, une terrible nouvelle ! s'écria aussitôt l'écuyer. Le régent a été tué il y a deux nuits dans Acre.

Baudouin blêmit. Un courant glacial descendit le long de sa colonne vertébrale.

— Que s'est-il passé ? demanda le jeune roi.

— Messire de Plancy se rendait dans le quartier vénitien, sur le port. Il devait rencontrer un marchand à qui il avait passé commande d'étoffes de soie en provenance de Chine. C'était un présent pour sa dame, Étiennette de Milly.

— Il était seul ?

— Un Hospitalier l'accompagnait ! Ils ont été poignardés tous les deux à une demi-douzaine de reprises, au cou, à la limite de leur haubert*. Ça s'est passé à la tombée du jour, peu après vêpres*.

En entendant Grégoire prononcer le mot « hospitalier », Philémon ne put retenir un cri.

— Ce n'était pas maître Géraud, le rassura l'écuyer, comprenant tout à fait le trouble de son cousin. Par contre, c'est lui qui les a trouvés. Ne voyant pas revenir messire de Plancy alors que la nuit s'emparait de la ville, il a effectué une ronde dans les quartiers italiens avec un détachement de soldats à pied.

— Est-ce possible que ce soit l'œuvre de brigands ? avança le roi.

— Maître Géraud a retrouvé le marchand vénitien. Le régent ne s'est jamais rendu à son entrepôt ce soir-là, comme c'était convenu. D'ailleurs, messire de Plancy avait encore sa bourse attachée à sa ceinture.

— Où est le corps ? intervint Guillaume de Tyr qui jusque-là s'était contenté d'écouter.

Grégoire répondit, mais en s'adressant au roi.

— Sire, votre oncle, messire Josselin de Courtenay, l'a fait inhumer dans la crypte de l'église de la Sainte-Croix d'Acre. Maître Géraud sera ici dans quelques heures. Il m'a envoyé en avant-garde pour vous prévenir le plus rapidement possible, mais il pourra sans doute vous fournir plus de détails.

— Très bien, messire Grégoire. Allez vous reposer !

Le roi se tourna vers Philémon.

— Tu peux accompagner ton cousin, il doit être pressé de retrouver sa mère, la dame d'Irfoy, pour lui narrer ses aventures.

Les cousins sortirent. La porte à peine refermée sur eux, Philémon interrogea Grégoire.

— Est-ce que mon maître en a dit plus sur ce meurtre? Sais-tu ce qu'il en pense? Soupçonne-t-il quelqu'un d'en être l'auteur?

— Non. Il devrait être ici en fin d'après-midi. Tu pourras lui poser toutes tes questions. Maintenant, laisse-moi. Je suis fourbu. J'ai parcouru les cinquante lieues depuis Acre d'une seule traite. Plus de dix heures de chevauchée, en plein soleil, dans la poussière du désert, avec le poids d'un haubert sur le dos et la crainte de tomber sur une bande de Sarrasins à tout instant.

Philémon décida de suivre le conseil de son cousin. Il quitta la Citadelle et retourna à l'hospice. Son maître y passerait sûrement avant d'aller voir le roi.

Laissé seul en compagnie de son précepteur Guillaume de Tyr, Baudouin se mit à réfléchir à voix haute sur les conséquences de la mort du régent. Il se demandait surtout à qui profitait le crime.

— Guillaume, croyez-vous que Raimond de Tripoli soit impliqué dans cet acte odieux?

— Pourquoi pensez-vous au comte, sire?

— Parce qu'il a toujours voulu être régent! Il est évident que les barons de la Haute Cour vont le choisir maintenant que Plancy n'est plus là. Il est le plus puissant du royaume, et, je dois le reconnaître, le plus capable aussi.

— Je ne suis pas convaincu qu'il y ait eu un complot contre le sénéchal, sire. Plancy était un être exécrable.

N'importe qui a pu chercher vengeance en lui plantant ce coustel dans le cou.

— Pensez-vous que cette mort puisse être due à un jeu de pouvoir entre différents clans ? demanda encore le jeune roi. Plancy n'était pas de cette terre, il est né en Champagne. Il était évident que les barons d'Orient ne supportaient pas d'être à ses ordres.

— Tripoli a toujours dit haut et fort que Plancy était un incapable. Il ne s'est jamais caché pour clamer ce qu'il pensait.

Le roi soupira.

— Je ne suis couronné que depuis trois mois, Guillaume. Je devrai supporter ces divisions pendant deux ans encore. Deux ans avant de pouvoir gouverner seul. Je te le promets, mon vieil ami, je saurai mettre ces barons et ces comtes au pas. Ils verront qui est le roi. Je les soumettrai à ma volonté.

Maître Géraud et une trentaine d'autres Hospitaliers arrivèrent au moment où les sentinelles de Jérusalem fermaient les portes de la Ville sainte pour la nuit. Le chevalier se rendit directement à l'hospice, comme l'avait prévu Philémon. Avant de faire son rapport au roi, Géraud voulait parler au grand maître de son ordre, Joubert de Syrie.

Impatient, Philémon faisait des allers-retours entre le vestibule menant aux appartements du grand maître et l'hospice où, pour la première fois depuis qu'il était page, les râles des malades ne parvenaient pas à lui inspirer un peu de compassion. L'enfant trouvait que la rencontre s'éternisait. Enfin, une heure plus tard, son maître le trouva affalé sur un siège, dans le vestibule.

— Que fais-tu là, toi ?

— Je vous attendais, maître ! Tout va bien ? Oh non !... Vous avez du sang sur votre manteau !

— Pourquoi aurais-je quelque chose ? Ce n'est pas moi que l'on a attaqué ! répondit-il d'un ton bourru, avant de se radoucir. C'est le sang de Milon de Plancy, j'ai porté son corps pour le ramener au quartier général des Hospitaliers d'Acre.

Géraud regarda intensément Philémon, puis il sembla prendre une décision.

— Demain matin, tu m'accompagneras chez le roi. La mort du régent va bouleverser beaucoup de choses dans le royaume. Le temps est venu pour toi de quitter Jérusalem et le Levant.

— Mais...

— Ne discute pas ! Ma décision est prise. Maintenant, va te coucher. On reprendra ton entraînement à l'aurore.

L'enfant bougonna, mais se dirigea vers le dortoir où se trouvait sa paillasse. Il savait qu'il n'aurait jamais le dernier mot avec son oncle.

15

Géraud était préoccupé; il sortit de l'hospice pour faire une tournée d'inspection des environs. Ses pensées se bousculaient.

« Amauri de Lusignan doit être au courant de l'ascendance de Philémon, je ne vois pas d'autre possibilité. Il ne voulait pas le faire tuer; le magicien devait avoir reçu l'ordre d'enlever le petit pour l'obliger à révéler ce qu'il sait du second anel. Comme le pense Philémon, des émissaires sont sûrement à la recherche du jonc dans le Poitou, et sans aucun doute dans les Ardennes aussi. Argh ! Serais-je sur le point d'envoyer mon neveu dans la gueule du loup ? »

— Qui va là ? fit une voix dans son dos.

Il se retourna vivement, faisant jaillir un coustel qu'il dissimulait toujours sous son manteau.

— Aide aux pèlerins ! répondit Géraud, s'identifiant ainsi comme un Hospitalier.

— Messire Géraud ! s'exclama la voix.

Cette fois, le chevalier reconnut frère Ondaric. Il rangea son arme.

— Que se passe-t-il ? l'interrogea le religieux.

— Rien, un peu d'insomnie…

— Voulez-vous une infusion de fleurs d'oranger ?

Géraud sourit. Les potions du moine étaient reconnues pour leur efficacité, mais ce n'était pas de cela dont il avait besoin actuellement.

— Je songe à l'adoubement des prochains chevaliers, déclara-t-il pour éviter des sujets qu'il n'avait nulle envie d'aborder. Grégoire d'Irfoy s'est montré un excellent compagnon de chasse et de guerre. Je crois que nous en ferons un très bon combattant.

— Oui, vous avez raison, répondit Ondaric. La cérémonie sera sans doute très fertile en émotions pour nos jeunes écuyers. Mais ne devrions-nous pas la repousser jusqu'à ce que le nouveau régent soit bien en place ?

— Au contraire, nous profiterons de la présence de tous les grands seigneurs à Jérusalem, ce sera grandiose ! fit Géraud, avec plus d'enthousiasme qu'il n'en ressentait vraiment. Bonne nuit, frère moine.

— Bonne nuit, frère chevalier !

M

Une dizaine de jours plus tard, la Haute Cour fut appelée à siéger pour désigner le nouveau régent. La salle du conseil peinait à contenir tous les princes, comtes, nobles et prélats du royaume. L'un d'eux se distinguait par son caractère violent et son air hautain, le comte Raimond de Tripoli, prince de Galilée et de Tibériade. Son ambition éclatait enfin au grand jour. Les débats ne durèrent guère, l'éloquence et les menaces à peine voilées de Tripoli réduisant au silence ceux qui auraient eu l'audace de s'opposer à lui. Lorsque le connétable Onfroy de Toron, qui dirigeait l'assemblée en tant qu'officier de la couronne, demanda aux prétendants de faire valoir leurs compétences, la voix seule de Raimond résonna sous les voûtes.

— Tout le monde ici sait que je suis un petit-cousin du roi. Le seul habilité à gouverner.

— Il pourrait même réclamer la couronne si mon fils venait à décéder subitement, glissa Agnès de Courtenay à l'oreille d'Amauri de Lusignan. Il faut se méfier de lui.

— Je connais très bien les musulmans, puisque je fus leur prisonnier pendant huit ans, à Alep... poursuivit Tripoli.

— Il les connaît sans doute un peu trop bien, fit Lusignan en grinçant des dents. Il se targue même de son amitié avec Saladin.

— Raimond de Tripoli, intervint Guillaume de Tyr, nous sommes convaincus que vous êtes le meilleur homme pour diriger ce royaume. Tous ici vous reconnaissent un grand sens politique. Pour ma part, je vous sais sage et clairvoyant. Je demande donc à cette Haute Cour de vous confier la régence, sans opposition.

Des acclamations montèrent de l'assistance. Seuls Amauri de Lusignan et Agnès de Courtenay ne desserrèrent pas les dents.

Raimond de Tripoli hérita donc de la régence par acclamation. Une fois que la Haute Cour avait rendu un jugement, il n'était plus possible de le renverser, et même le roi devait s'y soumettre.

Le peuple de Jérusalem accueillit la nouvelle avec joie, d'autant plus que pour faire suite à sa nomination et à l'adoubement des futurs chevaliers, le nouveau régent, se comportant déjà en souverain, avait décrété trois jours de réjouissances.

Pour sa part, Grégoire était prêt. La veille de la cérémonie, selon la coutume, il avait pris un bain purificateur, puis avait revêtu une tunique blanche. Il avait jeûné depuis les premières heures de la journée de la veille et avait passé la nuit dans la basilique du Saint-Sépulcre à prier avec les autres postulants, en compagnie des parrains. C'était ce que l'on appelait la veillée d'armes.

Après la réunion de la Haute Cour et la désignation d'un nouveau régent, les prélats et les barons regagnèrent la basilique ; les premiers pour entendre les candidats chevaliers en confession, leur donner la communion et présider la messe ; les seconds pour écouter les sermons et soutenir leurs protégés.

Les jeunes écuyers, l'épée au fourreau et suspendue par une bandoulière, s'approchèrent de l'autel. Le patriarche latin de Jérusalem bénit les jeunes hommes qui, d'un seul mouvement, s'agenouillèrent devant lui :

— Que demandes-tu ? les interrogea le patriarche.

— Je demande à entrer en chevalerie, répondirent les adolescents en chœur.

— Tu en connais les obligations : défendre l'Église, les pauvres, les veuves, les orphelins, et servir ton seigneur.

— Je promets de les remplir ! clamèrent les jeunes hommes.

Les parrains s'approchèrent, détachèrent les fourreaux et les posèrent entre les mains tendues de leurs filleuls.

— À cette fin, pour faire ce que tu as promis, prends cette épée, au nom du Père, du Fils et du Saint-Esprit.

Les tuteurs sortirent ensuite les épées des fourreaux et les tendirent aux candidats.

— Prends cette épée. Par son lustre, elle est enflammée par la Foi ; par sa pointe, de l'espérance. Tu l'utiliseras seulement pour défendre ta vie et la foi chrétienne.

Des pages se précipitèrent pour aider les nouveaux chevaliers à enfiler leurs cottes de mailles par-dessus leur chemise blanche. Ensuite, les parrains leur ceignirent l'épée à la ceinture. Puis, les jeunes combattants s'agenouillèrent pour recevoir la collée. Les seigneurs donnèrent trois coups du plat de leur propre épée sur les épaules des adolescents en disant : « Au nom de Dieu, de la Vierge Marie et de messire saint Jean-Baptiste, je te fais chevalier. »

Finalement, ils leur donnèrent un léger soufflet sur la joue: « Réveille-toi chevalier, veille sur la Foi en Jésus-Christ. Sois vaillant, loyal et généreux. »

Vint ensuite la cérémonie de l'hommage, par laquelle les nouveaux chevaliers reçurent l'étendard du fief duquel ils devenaient les vassaux en prêtant serment.

Grégoire d'Irfoy fut doté d'un petit domaine dépendant du fief d'Étiennette de Milly, non loin du krak de Montréal. Ce serait à lui de le faire fructifier, de l'agrandir par sa bravoure au combat ou par un beau mariage.

La messe se termina; les nouveaux chevaliers se hâtèrent de rejoindre leurs chevaux tenus par des écuyers et des pages. On les aida à se mettre en selle, et ils se lancèrent dans une grande cavalcade qui les emmena devant la porte de David, d'où ils filèrent jusque dans la vallée de Gihon, sous les cris de la population enthousiaste. Philémon cria sa joie pour son cousin Grégoire, dont il enviait la nouvelle gloire.

Une longue plainte se fraya brusquement un chemin parmi les cris d'allégresse. Personne n'y prit garde. Cependant, Philémon, dont les sens étaient particulièrement aiguisés depuis les attentats dont il avait été victime, réagit aussitôt. Des yeux, il inspecta la foule. Aucun animal ne pouvait hurler de cette façon. À coup sûr, ce cri déchirant était humain. Et soudain, il la vit. À plusieurs toises derrière lui, une femme hystérique tentait d'écarter les badauds, en vain. Elle pleurait, criait, griffait, injuriait, mais, sans cesse, elle était repoussée par les curieux qui s'étaient massés sur plusieurs rangs pour assister à la cavalcade des chevaliers. Intrigué, Philémon se détourna du spectacle et se concentra sur la femme. Il la reconnut. C'était une marchande de la rue aux Herbes. Elle avait toujours son enfant accroché à ses jambes... Son enfant ? Le page comprit ce qui se passait. Le petit !... Le petit avait été séparé de sa mère dans la bousculade. Philémon savait que le bambin marchait à peine et risquait d'être piétiné à mort par la foule excitée. N'écoutant que son grand cœur, le page fendit les rangs des spectateurs, sans se préoccuper des insultes qui pleuvaient et des coups de coude qu'on lui décochait pour l'obliger à reculer.

« Que n'ai-je une bonne épée pour m'ouvrir le passage ! » grommela-t-il, alors qu'un homme, qui avait deux fois sa taille, lui assénait un coup derrière la tête.

— Pardon ! Désolé ! Excusez-moi ! Faites place !

Finalement, en panne de politesses, il se mit lui aussi à distribuer des coups de pied dans les mollets et de poing dans les estomacs proéminents de quelques prospères marchands hiérosolymitains*. La méthode fut plus concluante que les mots d'excuse. Il entendit encore des insultes et des bougonnements, mais au moins les gens s'écartèrent.

Tout près de lui, il découvrit le bambin, assis par terre, qui babillait, inconscient de la mort qui le frôlait chaque fois qu'une personne se déplaçait. C'était un miracle si les centaines de pieds qui se pressaient autour du petit ne lui avaient pas encore écrasé un membre ou pire. L'enfant, tout étonné, serrait des poignées de sable qu'il s'amusait à laisser couler entre ses petits doigts roses. Philémon se jeta dans les jambes des badauds et s'empara vivement du gamin. L'enfant se mit à sangloter et à se débattre. Une main s'abattit sur le bras du jeune page.

— As-tu fini de maltraiter ce bambin ? lui cria un homme à la forte barbe noire.

— Mais non... je... bafouilla Philémon, trop décontenancé pour trouver une réponse appropriée à la question.

Mais déjà un mouvement de foule les repoussait plus loin, l'enfant et lui. Le hurlement de la mère déchira de nouveau le tumulte qui régnait près de la porte de David. Elle avait aperçu son bébé que Philémon tenait fermement contre lui, tout en tentant de s'extraire, sans grand résultat, de la populace qui avançait. Enfin, le garçon aperçut un trou dans les rangs et s'y engouffra. Le bambin était en larmes, mais vivant, c'était tout ce qui comptait pour Philémon. Il adossa le petit contre un mur d'angle de la forteresse, lui faisant un rempart de son corps.

« Maintenant, il s'agit que je ne sois pas emporté par la vague ! » songea-t-il, en se campant fermement dans l'encoignure.

Après plusieurs minutes d'angoisse, le groupe compact avançant toujours, Philémon et son protégé se retrouvèrent à l'arrière de la cohue, loin du danger. À cet instant, le garçon se rendit compte qu'il tremblait de tous ses membres, que son cœur battait à tout rompre, et que de grosses gouttes de sueur lui obscurcissaient la vue. Il inspira profondément pour s'obliger au calme.

— C'est un miracle ! Merci ! entendit-il dans son dos.

La marchande d'herbes, le visage noyé de larmes, accourait dans sa direction, les bras tendus et tremblants vers sa progéniture qui cessa aussitôt de pleurer au son rassurant de la voix maternelle.

Philémon déposa doucement l'enfant dans le giron de la femme dont les larmes, cette fois de joie et de soulagement, redoublèrent d'intensité. Le jeune page sourit et voulut s'éloigner, mais quelqu'un le retint par l'épaule. Il pivota et se retrouva devant le chef des gardes du palais, un vieux Templier au visage sévère. Se méprenant sur l'air du soldat, Philémon ouvrit la bouche pour s'expliquer, mais l'homme ne lui en laissa pas le temps.

— Place, place au jeune héros ! cria le Templier en poussant le garçon éberlué devant lui.

Et sans que Philémon n'ait pu prononcer un seul mot, le vieil homme le conduisit vers l'estrade d'où le roi Baudouin, la princesse Sibylle, le comte de Tripoli, les barons et toute la cour avaient assisté à la première chevauchée des nouveaux chevaliers.

Bien vite, tout Jérusalem fut mis au courant de l'acte courageux du compagnon de jeu du roi. Chacun se vanta de bien le connaître et surtout d'avoir toujours su que ce garçon était un cœur vaillant, même ceux qui ne lui avaient jamais adressé la parole depuis sa naissance. En chantant ainsi ses louanges, chacun cherchait à se faire bien voir du souverain. Pour sa part, Philémon n'en demandait pas tant. Il fut embrassé, salué, célébré comme il ne l'avait jamais été. Mais lui, il n'avait d'yeux que pour la princesse. Elle ne cessait de lui faire mille et une façons, tant et si bien que son imagination s'emballa. Il se vit adouber chevalier sur-le-champ, richement doté, demandant la main de la sœur du roi, et pourquoi pas régnant à ses côtés sur la grande Jérusalem.

Ce fut la voix de maître Géraud qui le fit descendre de ses hauteurs royales.

— Je suis fier de toi, Philémon ! Tu as agi en homme…

Mais l'Hospitalier lui cachait ses véritables pensées. L'acte du page avait encore une fois attiré l'attention sur sa personne. Géraud avait remarqué les coups d'œil d'Arnulf le Teuton qui n'étaient pas empreints d'admiration, mais bien de haine.

Les trois jours de fête furent grandioses comme l'avait promis Raimond de Tripoli. Les joutes succédèrent aux spectacles de divertissement. Les banquets furent mémorables ; les plus pauvres de Jérusalem et le dernier des pèlerins en reçurent leur juste part. Philémon, traité en héros mais surtout en tant qu'ami du roi, eut sa place à la table d'honneur et un banc réservé sur l'estrade royale.

Pendant ces heures de réjouissance, le garçon en oublia que le nouveau régent était aussi celui qui avait tenté de le faire taire, mais maître Géraud, lui, ne perdait pas cela de vue. Il était temps que Philémon s'en aille. À l'insu du jeune page, il accéléra les préparatifs du départ.

Le jour de la nomination de Raimond de Tripoli à la régence, lors de la même assemblée, la Haute Cour avait rendu une autre décision qui retint l'attention de l'esprit avisé qu'était l'Hospitalier. Les barons avaient convenu de marier la princesse Sibylle au plus vite.

— Envoyons une ambassade à Montferrat, dans le Piémont, pour proposer le marché aux marquis de Montferrat, père et fils, avait décrété Onfroy de Toron.

Une fois encore, Amauri de Lusignan s'était senti pris de court. Il avait proposé de faire venir son jeune frère Gui à Jérusalem, mais n'avait pas encore reçu l'assentiment ni de Sibylle ni de sa mère, Agnès. Leur manque de rapidité le faisait rager, il les accusait même d'étroitesse d'esprit et de courte vue.

Influencé par Tripoli et Toron, l'enfant-roi avait acquiescé au marché, sans consulter ni sa sœur ni sa mère. Son précepteur lui avait conseillé d'envoyer en ambassade un paladin*, Drogon de Courteville, lui promettant une terre et un titre à son retour, et frère Ondaric pour le seconder.

Maître Géraud avait souvent perçu les soupirs et les regards énamourés que la sœur du roi arrachait à son protégé. Mais comme cela se murmurait depuis plusieurs semaines au palais royal, la Haute Cour avait choisi Guillaume de Montferrat dit Longue-Épée. Pour le chevalier hospitalier, il fallait éloigner Philémon rapidement. Il ne pouvait le laisser se faire de nouveaux ennemis à cause de sa passion naissante pour la princesse. Il avait déjà assez de problèmes comme cela ! Quelques jours après son retour d'Acre, le chevalier avait enfin pu parler au roi des affaires personnelles qui le préoccupaient.

— J'ai réfléchi à la question de mon côté, lui dit Baudouin. Je suis de votre avis, messire Géraud. Philémon doit aller chez son père. Pour l'accompagner, je ne vois personne de plus qualifié que Grégoire d'Irfoy ; le nouveau chevalier est jeune, fort, débrouillard et il est son cousin.

Le jeune roi regarda longuement son compagnon de jeu ; la tristesse de perdre un ami se lisait sur son beau visage de plus en plus taché par la maladie.

— Il faut quelqu'un de loyal pour te protéger, ajouta Baudouin. Messire Grégoire a toute ma confiance. Vous vous joindrez à l'ambassade que j'envoie à Montferrat.

Le page baissa les yeux ; on ne discutait pas une décision royale, même quand celui qui la prononçait était notre meilleur ami.

— Comme vous voudrez, sire !

Philémon s'inclina, puis l'Hospitalier et lui se retirèrent.

— N'oublie pas de venir me saluer avant ton départ ! lui dit Baudouin, avant de se diriger vers la salle du conseil où l'attendait Raimond de Tripoli, pour une séance de travail.

— Sage décision de notre roi que de te faire partir avec l'ambassade approuva Géraud. Frère Ondaric et Drogon de Courteville sont des gens qui ont l'expérience des longs voyages et des missions secrètes.

Mais Philémon n'écoutait guère. Toutes ses pensées étaient tournées vers la princesse Sibylle. Il le savait, jamais il ne pourrait prétendre à sa main. La raison d'État primait toujours sur les raisons du cœur. Même si la jeune fille l'aimait bien, elle devait obéir à la décision de la Haute Cour. La princesse n'était pas libre de ses décisions. Elle devait museler les élans de son cœur pour la sauvegarde du royaume.

Géraud fit un clin d'œil à son neveu, dans l'intention de lui rappeler son déplacement en compagnie du moine jusqu'à l'abbaye de Béthanie plusieurs mois plus tôt, mais l'enfant n'en saisit pas le sens, étant trop absorbé à analyser ses sentiments.

— Tu resteras avec Courteville et Ondaric jusqu'en Sicile, puisqu'ils prendront ensuite la direction de Gênes et du Piémont.

— Et moi, quelle route vais-je prendre ? dit-il, en faisant mine de s'intéresser à la conversation.

— De Sicile, il faudra faire voile jusqu'à Marseille. Je vous donnerai une recommandation pour le frère Audin, prieur de notre commanderie dans ce port.

— Nous partons quand ? demanda Philémon, la voix cassée par l'émotion.

— Dans trois jours !

— Quoi ? Si vite… Pourquoi ?

Cette fois, maître Géraud avait capté toute son attention.

— Parce que l'ambassade envoyée à Montferrat ne peut souffrir aucun retard et aussi parce que cela vaut mieux pour toi. Plus tu t'éternises à Jérusalem, plus tu risques d'y laisser ta vie.

— C'est un long voyage… soupira le page.

— Il faut parfois plus d'un an aux pèlerins pour venir de Paris, de Mayence ou de Venise jusqu'ici, mais vous ne mettrez pas plus de trois mois pour faire le chemin inverse, car votre périple est bien préparé. Frère Ondaric veillera à ce que vous soyez accueilli et traité comme des hôtes de marque partout où vous passerez. Tu n'as pas à te tracasser.

— Trois jours ! répéta Philémon.

Les événements allaient trop vite. Il ne lui restait que trois jours pour graver à jamais dans sa mémoire les traits de la princesse Sibylle. Bien sûr, depuis que dame d'Irfoy et maître Géraud lui avaient dit qu'il devait partir, il pensait à ce voyage, se faisant peu à peu à l'idée de quitter pour toujours son pays. Parfois, il avait même hâte de vivre de nouvelles aventures, de découvrir de nouveaux endroits, de rencontrer de nouvelles gens. Mais trois jours, voilà un délai qui lui semblait bien court.

— Puis-je passer un peu de temps avec ma tante aujourd'hui ? demanda-t-il à son parrain.

— Bien sûr ! Vas-y !

Maître Géraud dodelina de la tête, tandis que le page filait en direction de la Citadelle. Ce n'était pas tant Galiotte d'Irfoy que l'enfant courait retrouver, mais assurément la princesse. L'Hospitalier esquissa un sourire et son cœur se serra. Philémon découvrait à peine l'amour que déjà il devait y renoncer.

Comme il l'espérait, le garçon trouva Galiotte d'Irfoy en compagnie de dame Agnès, de la princesse Sibylle, et de sa fidèle Rosemonde. Elles étaient en train de commenter les dernières nouvelles en provenance du royaume d'Angleterre où la reine Aliénor d'Aquitaine était emprisonnée depuis un an. Elle avait fomenté un complot avec trois de ses fils, Richard, Geoffroy et Henri le Jeune, contre leur père.

— Ah, quelle terrible nouvelle ! déclara Sibylle. Et si nous discutions de choses plus agréables…

— Aimeriez-vous entendre la suite des aventures de Raimondin et Mélusine ? proposa adroitement Galiotte d'Irfoy.

Philémon devait en apprendre le plus possible sur son ancêtre féerique avant de quitter Jérusalem. Sa tante n'aurait pas le temps de lui confier toute l'histoire, mais elle comptait sur son fils Grégoire pour occuper les longs jours de leur voyage avec la suite de la légende.

Sibylle acquiesça avec enthousiasme, mais dame Agnès invoqua une occupation plus urgente pour quitter la salle commune.

— Où en étais-je ? demanda Galiotte.

— Vous étiez en train de parler des festivités du mariage, ma bonne Galiotte. Pendant que les invités s'amusaient et que Mélusine liait connaissance avec la dame de Poitiers et sa fille, Raimondin et son frère étaient en train de disputer une partie d'échecs.

— Ah oui, la fameuse partie d'échecs, fit Galiotte, pensive. C'est là que tout a commencé à aller de travers... Mais ne brûlons pas les étapes. Écoutez plutôt.

À l'écart de la fête, Raimondin et son frère finissaient une partie serrée. C'était Hugues qui avait demandé à son cadet de s'isoler, car ils avaient à discuter de choses sérieuses. Raimondin était en train de gagner la partie. Il avança son cavalier et fit échec au roi. N'ayant rien vu venir, Hugues sentit la colère l'envahir. Il déplaça sa tour, pour venir la mettre en rempart devant sa reine, mais il n'y avait plus rien à faire. Il dut admettre qu'il était mat, ce que Raimondin n'avait pas encore osé lui annoncer. Alors, prenant la reine entre ses doigts, Hugues déclara:

— Je t'aime beaucoup, mon frère, et aujourd'hui, je me sens plus comme un père pour toi. Il faut donc que je te dise franchement que je suis inquiet.

— Et de quoi?

Le comte de Forez se leva. Il avait toujours la reine à la main. Il fit quelques pas à droite, tourna sur lui-même, et vint se rasseoir. Il déposa la pièce sur une case noire. Puis, il fixa son frère droit dans les yeux.

— Celle que tu as choisie pour femme est vraiment belle.

— Oui, bien sûr. Et je ne m'en plains pas, fit Raimondin, ironique.

— Tu n'es pas étonné?

— De sa beauté? Non, pas du tout. Elle me plaît...

— Et ce très grand bonheur ne t'effraie pas, continua Hugues, de plus en plus énigmatique.

— Mais non. Pourquoi aurais-je peur du bonheur?

— Tu ne crains pas une surprise... Une mauvaise surprise! As-tu vu tout ce qui se passe ici? Ce banquet incroyable et ces ménestrels, ces chevaliers, ces dames dont on ne sait d'où ils viennent, et ces pavillons plus richement décorés que ceux du roi...

— Je ne crains aucune surprise. Je suis le plus heureux des hommes! insista Raimondin.

Hugues regarda son frère de côté, mais ce dernier ne baissa pas les yeux. Il était sûr de lui. Le comte de Forez reprit la reine et se remit à la faire tourner entre ses doigts.

— Bah! Laisse ça, mon frère, tout est pour le mieux! dit-il.

Raimondin lui prit la pièce des mains et la déposa sur une case blanche.

— Ma reine à moi s'appelle Mélusine. Elle est fille de roi... et j'ai gagné la partie!

— La partie d'échecs, certes, tu l'as gagnée! Mais ne te réjouis pas trop vite, mon frère.

Sur ces paroles mystérieuses, le comte de Forez s'éloigna.

— Hum! Je sens que le frère de Raimondin sous-entend quelque chose! commenta Philémon. Serait-il un peu jaloux?

— Comme le sont tous ceux qui voient leur échapper une parcelle de leur pouvoir, répondit Galiotte, en jetant à la dérobée un coup d'œil à Sibylle.

La princesse ne broncha pas. Apparemment, Amauri de Lusignan ne lui avait rien dit de la filiation de Philémon avec la fée. Il avait vanté son propre lignage, sans faire allusion à celui du jeune page. Pour Galiotte, voilà qui était une bonne nouvelle. Elle avait craint un instant que Sibylle ne s'oppose au départ du garçon, pour le garder à l'œil. L'anel qui pendait à son cou pouvait lui conférer un pouvoir dont elle n'était pas encore consciente. Tant que le double anneau ne serait pas reconstitué à son doigt, la jeune femme ne pourrait pas l'utiliser pour parvenir à ses fins : régner sur Jérusalem et dompter les barons de la Haute Cour. Pour la dame d'Irfoy, il fallait à tout prix éviter que cette chose se produise. L'ambition de Sibylle pourrait conduire les États latins au désastre.

Il faudrait encore plusieurs mois avant que Guillaume de Montferrat n'arrive à Jérusalem pour épouser la princesse, et d'ici là, tout pouvait arriver. Si Baudouin mourait avant les noces, Sibylle risquait de n'en faire qu'à sa tête, et pourquoi pas de gouverner avec l'appui de sa mère et de son amant, Amauri de Lusignan. Ce qui assurément brouillerait entre eux les membres de la Haute Cour et affaiblirait les forces du royaume. Raimond de Tripoli et plusieurs autres princes et barons refuseraient de lui prêter allégeance et assistance, ce qui conduirait inévitablement à la division des Francs. Une situation dont Saladin et les Sarrasins ne manqueraient pas de tirer parti en attaquant Jérusalem.

— Merci ma tante, fit Philémon, sortant Galiotte de ses réflexions.

— Puis-je me retirer ? demanda la dame d'Irfoy.

— Faites ! répondit Sibylle. Rosemonde et moi avons quelques travaux de broderie à terminer.

Lorsque Philémon et sa tante se retrouvèrent hors de la pièce commune, cette dernière décida :

— Je te raccompagne. Je dois parler à Géraud.

16

Galiotte et Philémon se hâtèrent de traverser la rue aux Herbes. La marchande, son rejeton de nouveau accroché à sa jupe, tenta de les retenir pour un brin de conversation. Ils eurent quelques difficultés à lui faire comprendre que le temps les pressait.

Ils s'engouffrèrent finalement dans l'hospice, qu'ils traversèrent sans s'arrêter, pour rejoindre la cour d'exercices où maître Géraud était en train de s'entraîner. En temps de paix, les chevaliers passaient beaucoup de temps à s'exercer. La guerre était un art et le combat exigeait des hommes une excellente forme physique ; ils ne devaient pas perdre la main. Apercevant son neveu, l'Hospitalier, en sueur, fit signe à son partenaire qu'il faisait une pause.

— Que se passe-t-il ? demanda-t-il, après s'être assuré que l'autre chevalier s'était suffisamment éloigné pour ne pas entendre la conversation.

— C'est au sujet d'Amauri de Lusignan, répondit la dame d'Irfoy. Je crois qu'il n'a rien dit à Sibylle à propos de Philémon et du deuxième anneau, mais qu'il est au courant de sa filiation. C'est la seule explication plausible.

— Il doit penser que l'anel est déjà à Jérusalem, c'est pourquoi il s'en est pris à Philémon, pour le faire parler, fit Géraud, songeur.

— Me faire parler de quoi ? se troubla le page.

— Amauri de Lusignan pense que tu possèdes le deuxième anneau, répondit Galiotte.

— Quoi ? Quel anneau ? Je n'y comprends rien.

— Il faut lui dire ! intervint la dame d'Irfoy, insistante.

— C'est un peu compliqué... commença Géraud, en fixant le jeune garçon.

— Je veux tout savoir ! exigea celui-ci. Puisque je dois quitter le Levant, il ne faut rien me cacher...

— Très bien, alors voici ! Tu te souviens que Mélusine avait remis deux anneaux à Raimondin lors de leur première rencontre près de la Fontaine-de-Soif ?

Philémon hocha la tête. Il se rappelait parfaitement cette partie du récit.

— Raimondin les avait toujours gardés sur lui, mais à l'heure de mourir, il décida de les séparer. Ces joncs accordent à leur détenteur un pouvoir si grand sur les hommes, les animaux et les événements, qu'ils constituent un immense danger en cas de mauvais usage. Le premier anneau fut confié à Geoffroy Grande-Dent, le sixième fils de Mélusine. Avant de quitter ce monde, Geoffroy le transmit à son frère,

Thierry. Par héritage, cet anel se retrouva ainsi au doigt d'un seigneur de Lusignan appelé Hugues le Diable, l'arrière-grand-père d'Amauri et de Gui de Lusignan. Tu me suis ?

L'enfant acquiesça.

— Raimondin confia le second anneau à Raimonet, le dixième fils qu'il avait eu avec Mélusine. Ce dernier le légua à sa descendance. Le jonc se retrouva au doigt de Heribrand de Saussure, dit le Diable, ton arrière-grand-père.

— Deux personnages surnommés le Diable parmi les descendants de la fée ? s'étonna Philémon.

— Oui, c'est la première raison pour laquelle on appelle les deux anels réunis, l'anneau du Diable ; la seconde étant l'immense pouvoir qu'il confère.

— Mais où sont ces anels ?... l'interrogea le page.

— Tu as vu le premier au cou de la princesse Sibylle. Amauri de Lusignan en a hérité. Il l'a confié à Sibylle, car il espérait lui faire épouser son jeune frère Gui et faire de celui-ci le prochain roi de Jérusalem.

— À mon avis, maintenant que la Haute Cour a désigné Guillaume Longue-Épée comme futur époux, Lusignan va vouloir récupérer son bien. Le pauvre, je lui souhaite bien du courage et bonne chance ! Essayer de reprendre quelque chose à la princesse, c'est comme mettre la main sur une pelote d'épingles, pouffa Galiotte.

Faisant fi de l'interruption, Géraud poursuivit :

— Le deuxième anel, personne ne sait où il se trouve, sauf peut-être ton père.

— Pourquoi mon père ? Et comment êtes-vous au courant de tout cela ? demanda Philémon, les sourcils froncés.

Tout ce qu'on lui dévoilait à cet instant exigeait de lui une grande concentration pour qu'il puisse bien en saisir le sens et les conséquences sur sa vie.

— Ton père, Manassès de Hierges, en avait parlé à ta mère. Avant de mourir, Helvis d'Irfoy s'est confiée à son mari, Gauvin. Mon frère m'a remis son testament la veille de son départ en Égypte. Je ne devais ouvrir ce document que si j'apprenais sa mort. C'est ce que j'ai fait. Gauvin y avait transcrit toute l'histoire.

— Ce deuxième anel, c'est ta part d'héritage, expliqua Galiotte. Ton père sait que tu n'auras droit à aucune terre de son vaste domaine des Ardennes, en tant que fils naturel.

— Il ne peut te donner que cet anel, mais c'est un présent d'importance. Il doit espérer que tu seras celui qui réunira les deux joncs et reconstituera l'anneau du Diable. Si cela arrive, celui-ci peut faire de toi un très grand homme et surtout te donner la possibilité de faire le bien, comme tu l'as dit lorsque je t'ai parlé des anneaux de Mélusine pour la première fois… compléta Géraud.

— À condition d'en réunir les deux parties, soupira Galiotte. La légende de Mélusine dit qu'un jour, un chevalier, descendant de la fée, portera l'anneau reconstitué et sauvera la Terre promise. Je crois que c'est pour cela qu'Amauri de Lusignan a voulu t'enlever. Il connaît la légende. Depuis des années, sa famille est à la recherche de ce deuxième anneau. On dirait qu'il a fini par remonter la piste. Maintenant, il veut savoir où tu as caché ton jonc pour l'offrir à Gui. Il croit sans doute que son frère sera ce sauveur tant espéré.

— Mais... je n'ai rien caché ! geignit Philémon. Je n'étais même pas au courant de cette histoire avant que vous ne m'en parliez.

— Nous le savons... mais lui l'ignore ! Amauri doit être convaincu que ton père t'a déjà transmis ton héritage, puisqu'il n'existait aucune possibilité que vous vous revoyiez, continua la dame d'Irfoy.

— Toi, tu vis ici à Jérusalem et Manassès est dans ses terres à Hierges, poursuivit Géraud. Rien ne permettait de croire que tu retournerais un jour dans le royaume de France. Et le chambellan était presque assuré que ton père ne reviendrait jamais dans les États latins.

Philémon osait à peine respirer. Tout cela était si surprenant. Il eut presque envie de se pincer pour s'assurer qu'il n'était pas en train de rêver.

— Comment Raimond de Tripoli est-il au courant de tout ceci ? demanda-t-il, se rappelant soudain qu'il avait d'autres ennemis.

— Ah ça, j'aimerais le savoir ! fit Galiotte en grinçant des dents. Il doit avoir des espions bien placés dans l'entourage de Lusignan. Par contre, le régent ne semble pas savoir qu'il existe deux anels...

— Et mes frères et sœurs ? s'enquit le garçon, après quelques secondes de silence.

— D'après ce qu'a écrit Gauvin, ils ne sont au courant de rien. Ni de l'anneau du Diable, ni de son pouvoir et encore moins que tu dois hériter d'une partie du bijou. Et c'est aussi bien ainsi. Ils ne risquent pas de dévoiler ce qu'ils ne connaissent pas.

— Voilà, maintenant, tu en sais autant que nous ! soupira Galiotte. C'est pour cela qu'il faut que tu partes de Jérusalem. Ta vie est menacée à cause d'un objet que tu ne possèdes pas.

— Rends-toi à Hierges ! dit l'Hospitalier. Ton père saura ce qu'il doit faire. Je pense qu'il voulait te transmettre ton héritage lorsque tu aurais été en âge de comprendre ce qu'il signifie. Il a sans doute imaginé un moyen de te le faire parvenir en secret. Mais au lieu que l'anneau vienne à toi, c'est à toi d'aller à l'anneau. Raconte à ton père tout ce qui s'est passé ici ; il saura te protéger en attendant ta majorité, et il fera de toi un homme.

𝔐

Les trois derniers jours de Philémon à Jérusalem filèrent à une vitesse que le garçon trouva vertigineuse. Il erra dans la Ville sainte, cherchant à en graver le moindre recoin dans ses souvenirs. Il dirigea ses pas vers des endroits qui ne l'avaient jamais attiré auparavant, comme s'il craignait maintenant d'y avoir manqué des choses intéressantes. Il laissa les odeurs et les paroles en différentes langues des marchands, des artisans, du peuple et des gardes s'insinuer en lui. Il fit le tour de tous les lieux importants pour les chrétiens, s'imprégnant de leur atmosphère et de leur histoire. Puis, il se rendit dans la basilique du Saint-Sépulcre et s'arrêta devant le rocher du Golgotha, ce qui restait de la butte où fut dressée la croix du Christ douze siècles plus tôt. Il demeura aussi longuement devant l'endroit où, selon les croyances, se trouvait la sépulture de Jésus. Devant l'édicule abritant le tombeau, il pria pour lui-même, mais aussi pour tous ceux qu'il aimait et qu'il devait laisser derrière lui. Enfin, il se rendit au bassin de Siloé qui avait bien failli être sa tombe ; il remplit une petite fiole de grès d'un peu d'eau et la referma hermétiquement avec un bouchon de liège. Dans la vallée du Cédron, il ramassa du sable et des noyaux d'olives séchés au soleil. C'était son unique trésor, sa plus grande richesse.

Et puis un matin, ce fut le jour du grand départ. Au lever du soleil, Galiotte sortit de la Citadelle. Mais en prenant la direction de l'hospice Saint-Jean, elle entendit un cheval s'ébrouer et des bruits de sabots sur les dalles du chemin. Elle se demanda qui pouvait sortir du palais royal de si bon matin. Curieuse, elle découvrit Sibylle montée sur Étoile filante, qui avançait au petit trot. La princesse la dépassa et s'engouffra dans la rue Couverte. Galiotte accéléra le pas, intriguée. Où pouvait bien se rendre la sœur du roi, sans escorte, de si bon matin ? Elle n'eut pas à se le demander longtemps. Lorsqu'elle arriva devant l'hospice, elle vit la jeune fille, descendue de son cheval. Elle en tendait les rênes à Philémon.

— Mon frère cherchait une excellente raison de te faire revenir un jour à Jérusalem. Je lui ai proposé de te prêter mon alezan. Ainsi, tu penseras toujours à nous pendant ton voyage, et comme il ne s'agit que d'un prêt, tu es obligé de me le rapporter... Que Dieu te garde, Philémon de Hierges.

Sibylle se pencha, embrassa le front du jeune page, et repartit à pied par la rue aux Herbes. Philémon se sentit rougir et son cœur se serra. Il se jura de conserver précieusement dans son souvenir l'amour qu'il ressentait pour la princesse. Pour se donner une contenance, il flatta l'encolure du cheval ; c'était un cadeau magnifique, il espérait se montrer digne de la confiance que Baudouin et Sibylle plaçaient en lui.

Puis vint le moment de se séparer de Galiotte d'Irfoy et de maître Géraud. Ils se regardèrent longuement. Ils s'étaient tout dit au cours des derniers jours, il n'y avait plus rien à ajouter.

— Garde-toi bien ! lui dit sa tante en le serrant contre elle.

Se tournant vers son fils Grégoire, elle lui recommanda sur un ton sévère :

— Et toi, protège-le, au péril de ta vie s'il le faut !

— Si nous ne nous revoyons pas dans ce monde, je te souhaite longue vie et paix, Philémon de Hierges ! lui signifia chaleureusement l'Hospitalier en lui empoignant l'avant-bras, comme il l'aurait fait pour saluer un chevalier, un égal.

— Allons, il faut partir ! déclara le chevalier Drogon de Courteville, en s'éloignant.

Maître Géraud aida Philémon à monter sur Étoile filante, puis lui tendit les cordes des deux ânes qui transportaient les bagages des voyageurs. Il appliqua ensuite une claque sur la croupe de l'alezan qui se mit en route.

La troupe franchit la porte de David. Seul frère Ondaric se retourna, pour se signer. Philémon essuya une larme. Sa nouvelle vie commençait, de nouvelles aventures l'attendaient.

À suivre…

Note de l'auteure

Le récit des aventures de Mélusine et Raimondin est adapté de *Mélusine*, présenté par Jérémie Babinet, Techener Libraire, Poitiers, 1847, d'après *La Légende de Mélusine* de Jean d'Arras, 1387.

ARBRE GÉNÉALOGIQUE DE MÉLUSINE

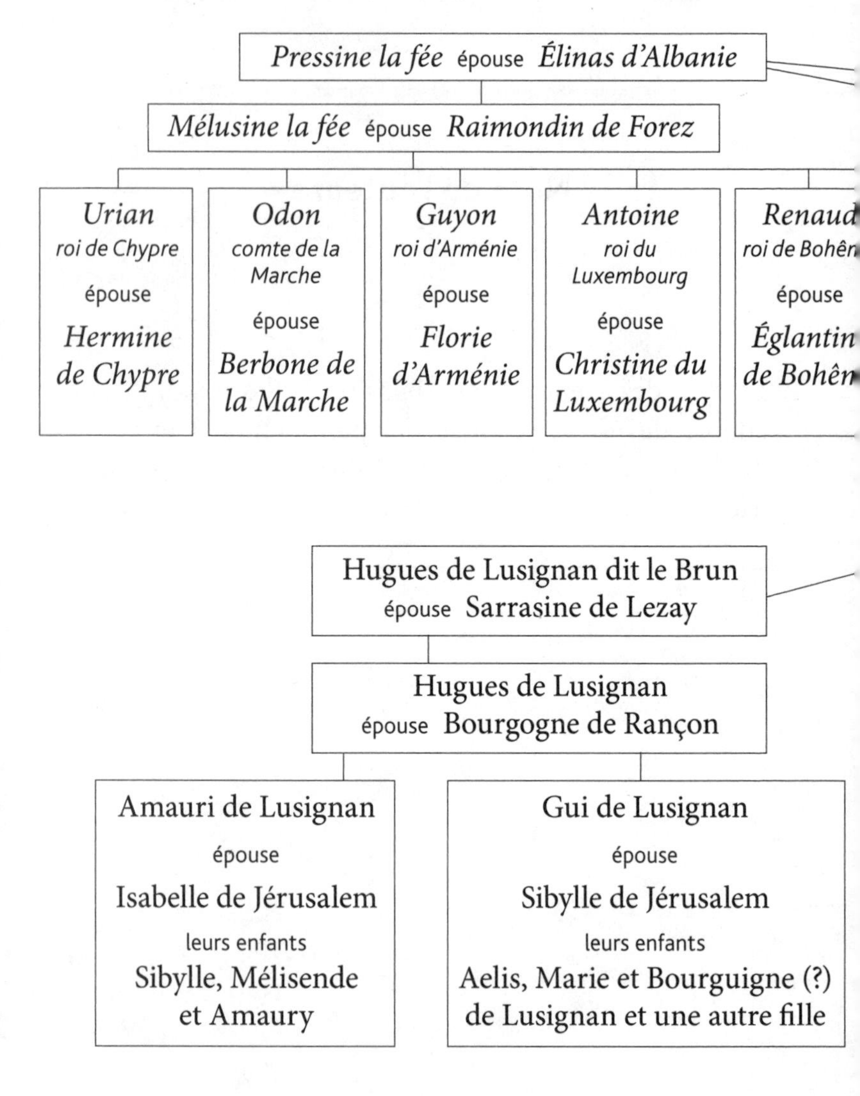

Texte romain : personnages historiques ------- Liens de descenda
Texte italique : personnages légendaires inventés
Texte gras : personnages inventés

Mélior
Palatine
Geoffroy Grande-Dent
seigneur de Lusignan
épouse
Clémence de Châtellerault
Fromont
moine à Maillezais
Orrible
mort à 5 ans
Thierry
seigneur de Parthenay et Lusignan
épouse
Héloïse de Sassenage
Raimonet
seigneur de Forez et de Hierges
épouse
Ermengarde de Hierges
Hugues de Lusignan dit le Diable
épouse Ildegarde de Thouars
Heribrand de Saussure
seigneur de Hierges
épouse
Hedwige d'Orchimont
Amaury
roi de Jérusalem
épouse
Agnès de Courtenay
Heribrand de Hierges
épouse
Hodierne de Rethel
Sibylle de Jérusalem
épouse
Guillaume de Montferrat
dit Guillaume Longue-Épée
Manassès de Hierges
Helvis d'Irfoy
Philémon de Hierges
Baudouinet de Jérusalem

Lexique

Albanie : Écosse, autrefois appelée Alba en langue gaélique.

Aumusse (une) : Capuche d'une pèlerine, protégeant la tête et le cou.

Bancelle (une) : Petit banc long et étroit.

Bast (un) : Bâtard, en vieux français. Enfant illégitime, né hors mariage.

Bliaut (un) : Blouse du Moyen Âge.

Braies (des) : Sorte de caleçon long, ancêtre des pantalons.

Connétable (un) : Chef des armées.

Coustel (un) : Couteau en vieux français.

Deuxième heure : Huit heures du matin.

Échanson (un) : Officier du roi chargé de servir les boissons, on dit aussi officier du gobelet.

Fatimide : Dynastie berbère qui régna en Afrique du Nord et en Égypte jusqu'en 1171.

Garce (une) : Au XIIe siècle, féminin de gars. Ce n'est devenu une injure que plus tard.

Gargote (une) : Restaurant bon marché.

Godel (un) : Mot péjoratif du XIIe siècle désignant un séducteur.

Haubert (un) : Longue chemise en mailles.

Héraldique : Connaissance des armoiries, des blasons.

Herse (une) : Grille à pointes pouvant être levée ou fermée à l'entrée d'un château.

Hiérosolymitain (un) : Habitant de Jérusalem.

Krak (un) : Mot dérivant du syriaque *karak*, voulant dire « forteresse ».

Laudes : Heure qui correspond à l'aurore.

Mantel (un) : Cape à capuche du Moyen Âge.

Matines : Minuit.

Ost (un) : Armée.

Outremer : Nom donné aux États latins d'Orient (Édesse, Antioche, Tripoli, Jérusalem) créés entre 1096 et 1099.

Paladin (un) : Chevalier errant, sans fortune ni terre.

Poterne (une) : Petite porte dans une muraille.

Prime : Sept heures du matin.

Simples (des) : Plantes médicinales.

Surcot (un) : Vêtement porté par-dessus la cotte de mailles.

Teuton (un) : Allemand, Germanique, Germain.

Tierce : Neuf heures du matin.

Toise (une) : Unité de mesure utilisée à partir du XIIe siècle. 1 toise = 1,80 m.

Veneur (un) : Personne chargée de diriger les chiens pendant la chasse.

Vêpres : À la tombée du jour, soit entre 17 h et 19 h.

Vraie Croix : Principale relique de la chrétienté. Pendant les croisades, un fragment de la Vraie Croix était installé dans la basilique du Saint-Sépulcre, et porté face à l'ennemi, lors de chaque bataille.

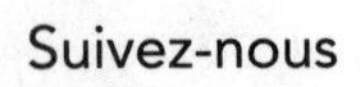

Achevé d'imprimer en septembre 2012
sur les presses de Marquis-Gagné
Louiseville, Québec